算数文章題が解けない子どもたち

算数文章題が解けない子どもたち

ことば・思考の力と学力不振

今井むつみ

楠見 孝／杉村伸一郎／中石ゆうこ

永田良太／西川一二／渡部倫子

岩波書店

はじめに

　学校での勉強についていけない子どもがいる。学びを楽しいと思えない子どもがいる。この子たちを支援することは社会の義務である。待ったなしで解決しなければならない問題である。支援するために何が必要か。その子どもたちの学力不振の原因を明らかにし、そのうえで、手立てを講じなければならない。

　本書の著者たちは、小学生の学力の基盤となる能力を測ることができ、学力不振の原因を明らかにすることができるアセスメントバッテリー(テスト)の開発を広島県教育委員会から委託された。広島県教育委員会はこのように言った。これまでも教科の習熟度を測るテストを行ってきた。しかし、わかるのは、問題ごとの通過率だけである。その学年で学んだはずの内容を問う問題に正答できる子どももいれば、できない子どももいる、ということはわかる。どの問題は出来がよくて、どの問題は出来が悪いか、どの子どもがよくできて、どの子どもができないかもわかる。しかし、**つまずいている子どもがなぜつまずいているのかはそのテストからはわからない。**

　このことばは非常に強く胸に響いた。そして、この要望に応えるために開発したのが本書で紹介する「ことばのたつじん」「かず・かたち・かんがえるたつじん」(以下「かんがえるたつじん」と略称)という2つの「たつじんテスト」である。前者は、主にことばに関わる知識を測り、後者は、名前が表す通り、数と図形に関する知識と推論の能力を測るものである。このようなテストを開発したのは、認知科学・教育心理学の長年の研究の成

果により、学力の基盤になるのは、ことばの知識、数・量・形などについて日常体験の中で子どもが自分で育んだ知識と、推論の力であるという仮説を信じるに足る根拠があるからである。

　本書は、この２種類のテストで測ろうとする知識・能力を説明するとともに、２つのテストの調査結果を報告し、小学生のことばや数の概念の理解のしかたを読み解くと同時に、それらの力がいわゆる学校で必要とされる「学力」とどのような関係にあるのかを考察していく。

「ことばのたつじん」「かんがえるたつじん」の開発経緯

　まず、２つのテスト「ことばのたつじん」と「かんがえるたつじん」がどのような過程を経て作られたかを紹介したい。冒頭で述べたように、学力に伸び悩む小学校低学年の子どもの学習のつまずきがどこにあるのかを明らかにしてほしいという広島県教育委員会の要請により、「ことばのたつじん」と「かんがえるたつじん」の開発プロジェクトが始まった。実は、この要請は、いきなり降ってきたわけではない。著者の今井と中石がもともと、外国児童の日本語の力を測り、教材にもなる日本語テストを作るための開発調査を行っていて、開発に必要な予備調査に協力してくれる学校を紹介してほしいと広島県教育委員会にお願いしたところから始まる。今井と中石が考えていたテストが「ことばのたつじん」の前身となった。

　これを見た広島県教育委員会が、このような考えのテストは外国児童（日本語を母語としない外国にルーツをもつ児童）に限らず、小学生のことばの力をこれまでの一般的な語彙テストと違うアングルから見ることができ、それが、学校の授業になかなかついていけない子どもたちのつまずきの原因の見極めに役立つのではないかと考えての依頼であった。このような経緯で、広島県教育委員会義務教育指導課で開発チームを立ち上げ、本書の著者たちがチームのメンバーとなった。「子どもたちの学びのつまずきを明らかにする」という目的のためには、ことばの理解だけでなく、数についての理解や「考える力」についても測る必要があるということになり、

表1　広島県調査と福山市調査のまとめ

調査回と時期	実施したテスト	小学校数・学年・人数
広島県第1回 2019年1〜2月	「ことばのたつじん」第1版 「かんがえるたつじん」第1版	3校・2年生・約200人
福山市第1回 2019年3月	「ことばのたつじん」第1版 「かんがえるたつじん」第1版	5校・2〜3年生・各学年約180人・計約360人
福山市第2回 2019年11月	「ことばのたつじん」第2版	3校・2〜4年生・各学年約150人・計約450人
広島県第2回 2020年1〜2月	「ことばのたつじん」第3版 「かんがえるたつじん」第2版 標準学力テスト(国語・算数) 保護者アンケート	20校・2年生・約1000人
福山市第3回 2020年10月	「かんがえるたつじん」第3版 算数文章題テスト	3校・3〜5年生・各学年約150人・計約450人 i)
広島県第3回 2021年2〜3月	「ことばのたつじん」第4版* 「かんがえるたつじん」第4版** 標準学力テスト(国語・算数)	3校 ii) ・2年生・約200人

i) 福山市第2回調査と同じ児童
ii) 広島県第1回・第2回調査と別の小学校
* 「ことばのたつじん」第4版はテスト時間圧縮のために「ことばのいみ」「にていることば」「あてはまることば」を統合し、問題数を減らした。他方、第2版、第3版にはなかった「時間の単位のことば」と「算数・理科のことば」を追加した。
** 「かんがえるたつじん」第4版は、福山市第3回調査で用いた第3版とほぼ同じである。

教育委員会といっしょに2つのテストを開発することになった。

　テストの開発には、何回にもわたる予備調査による問題の精査が欠かせない。3回ずつ実施した広島県調査と福山市調査の概要を**表1**にまとめた。調査各回の位置づけやテストの改訂ポイントなど、テスト開発過程の詳細については、付録2で紹介しているので、興味がある方はそちらをお読みいただきたい。

本書の構成

　本書は、広島県調査と福山市調査における「ことばのたつじん」「かんがえるたつじん」の結果をそれぞれの調査での「学力」の指標と紐づけて、学力の基盤を測るという目的で開発された2つのアセスメントバッテリー

が、果たして「学力」とどのように関わっているのかを質的および量的(統計的)に検討し、小学生の学力の基盤と学習のつまずきの原因について考察していく。これについては、第3章(「ことばのたつじん」)と第4章(「かんがえるたつじん」)で詳しく述べていく。

その前に、2つのアセスメントバッテリーの概観を第1章で述べる。ここでは、まず認知科学の観点から「学力」とは何かを定義する。2つのテストはこの定義にもとづいて、学力の基盤になる知識と認知能力の有無、程度が見えるようにデザインしている。その基本理念について説明し、「ことばのたつじん」「かんがえるたつじん」がどのようなテストなのか、その全体像を提示する。また、2つのテストの実施方法や採点における留意点などについても簡単に述べる。

第2章では、**表1**の福山市第3回調査で実施した福山市算数文章題テストの結果を報告し、そこから見えた子どもの算数学力の課題を考えていく。子どもたちは、足し算、引き算、かけ算、割り算などの基本的な計算ができるようにならないと困るが、計算ができるだけでは四則演算の知識が問題解決に使うことができる「生きた知識」であるとはいえない。文章題で、文章で問われている関係性からどの演算が必要かを判断できることが、算数で学んだ四則演算の知識が「生きた知識」になっているかどうかを示す第一歩なのである。第2章では、小学3, 4, 5年生が算数の教科書で学んだごく基本的な文章題をどの程度解けるかはもとより、どのように考えて解いているかということを読み解く。さらにそこから算数のつまずきの原因について仮説を提示する。

続く第3章、第4章でいよいよ「ことばのたつじん」「かんがえるたつじん」の福山市第2回(ことば)と第3回(かんがえる)調査の結果を提示しながら、2つのアセスメントバッテリーの内容を紹介する。福山市調査では学年をまたがって調査を行っているので、「ことばのたつじん」「かんがえるたつじん」で測っている知識と認知能力がどのように発達するのか(あるいは発達しないのか)、算数学力とどのように関わっているのかを考察し

ていく。

　第5章は、広島県・福山市調査のデータを統計分析した結果を報告し、「ことばのたつじん」「かんがえるたつじん」であぶりだされた、ことばを運用する力、数や量に関する直観と推論の力が、それぞれ国語学力、算数学力とどのような関係にあるのかを統計的に推測する。広島県のデータは2つの「たつじんテスト」の現時点でもっとも新しい第4版を用いた広島県第3回調査の結果を報告する。この章は、多少専門的で、大学レベルの統計の知識がないと理解が難しいかもしれないので、統計分析になじみのない読者は読み飛ばしてもかまわない。この章を読まなくても第1章から4章までと第6章を読んでいただければ本書でお伝えしたかったことは理解していただけると思う。

　第6章は「ことばのたつじん」「かんがえるたつじん」の質的な分析と広島県・福山市調査の統計分析を統合し、「学習のつまずきの原因」を考察する。そして、つまずきを乗り越える手立てを考えていく。

　付録1「ほんものの学力を育む家庭環境」では、広島県第2回調査から、学力の基盤を作るための子どもの家庭環境に関するアンケート調査結果を報告する。広島県第2回調査では、「ことばのたつじん」「かんがえるたつじん」と国語、算数の標準学力テストを県下の20の小学校の2年生約1000人を対象に行うとともに、この調査に参加した児童の保護者に子どもの養育に関する考え方や習慣、心がけていることなどをアンケートで答えてもらった。このときの調査は、「ことばのたつじん」「かんがえるたつじん」作成のための予備調査という位置づけだったので、2つのテストは現状での最終版(第4版)ではないが、テストの大問・小問の内容は十分に近いものである。この調査の結果から、保護者の教育に関する考え方や家庭環境が「ことばのたつじん」「かんがえるたつじん」で測った学力の基盤となる力と標準学力テストで測る学力にどのように影響を与えているのかを考察する。ここでも専門的な統計分析の報告が含まれるが、統計がわからなくても結果のポイントは理解できると思う。本付録で扱うトピック、

特に言語力、思考力、学力を育むために幼児期、児童期に家庭でどのような支援をするべきなのかという点については多くの教育関係者や保護者の方々が関心を寄せる内容と思うが、この問題は書籍の一章分のスペースで簡単に述べられることではないので、別の書籍であらためて深く考察したい。

目　次

「ことばのたつじん」「かんがえるたつじん」の基本理念
──学びの前提を測るテスト

1-1 開発の意図と目的

　著者たちが開発した2つのアセスメントバッテリー(テスト)の特徴を述べるにあたり、このテストが一般的に使われている知能テストや言語能力テストとどのように異なっているかを述べることから始めたい。しかし、そのためには、そもそも「テストは何のためにするのか」「学力とは何か」「学力は測ることができるのか」などの問題について、著者たちの見解を述べておく必要があるだろう。

　テストの目的とは何だろうか？　川口(2020)によれば、テストには指導を目的としたテストと政策を目的としたテストがある[1]。前者の典型は学級で行う単元テストで、後者の典型は「全国学力・学習状況調査」だろう。しかし、これらとは別に、一般にもっともなじみが深いのは、入試のように、大人数からある特定の層を抽出するためのテスト、いわゆる線引きのためのテストである。入試以外でも、特別支援が必要か否かの判断に用いられる知能テストや言語能力テストもこの仲間であると考えてよいだろう。英語能力テストの TOEFL や TOEIC もこの仲間である。

　この第3の目的のテストでは、平均点を中心にテスト受験者がきれいな分布を形成し、上位3%、下位5% など、事前に規定された割合の層が毎回均質に抽出できることが重要である。たとえば昨年度と今年度のテストで問題項目は多少変わっても、上位 25% や下位 25% という、全体の中の位置づけは同じ意味をもつようにするのが、このようなテストである。こ

の類のテストは、心理統計学を拠り所として、テストの素点ではなく、標準得点(いわゆる偏差値)の尺で全体母集団における各受験者の相対的な位置が示される。言い換えれば、このようなテストは、集団の中での受験者の位置を測ることがもっとも重要視されている。

　それに対して、著者たちが開発した2つのアセスメントバッテリーは、「指導のためのテスト」である。子どもたちの順位付けは目的としていない。学力の伸び悩む子どもの課題を個別に明らかにし、指導に役立てることを目的として開発した。テストのデザインの拠り所にしたのは、心理統計学やテスト理論ではなく、認知心理学・教育心理学・発達心理学・日本語教育学からの知見や理論である。したがって、このテストの総合得点を偏差値に変換して、**この子どもは上位○○% にいる、として進路指導の材料などに使われることは意図していない。**

　2つのアセスメントバッテリーは指導のためのテストであるが、いわゆる教科の単元テストとは性質が異なる。すでに述べたように、**2つのテストは、単元で教えられる内容をどこまで理解しているかを測るのではなく、学ぶ内容を理解するために必要な前提知識と認知能力を子どもがもっているかどうか、何が足りないのかをつまびらかにするためのテスト**なのである。

　2つのテストは、合計得点だけを見て、この子どもは大丈夫、この子どもの能力は高い、ということを判断する目的には使ってほしくない。採点者はそれぞれの問題について、一人ひとりの子どもの解答のしかたから、多くの気づきを得られるはずだ。後で詳しく述べていくが、たとえば「かんがえるたつじん」で数概念の直観的理解を問う問題がある。「ケーキの $\frac{1}{2}$ こ分と $\frac{1}{3}$ こ分ではどちらがたくさん食べることができるか」という問いでは正解できても、「 $\frac{1}{2}$ と $\frac{1}{3}$ ではどちらが大きい数か」という問いでは $\frac{1}{3}$ が大きいと答える子どもが目立った。このような解答をする子どもは、分数を「ケーキやピザを分けるための数」と思い込んでいて、分数という抽象的な概念はまったく理解していない可能性が高い。子どものこ

のような理解のしかたを解答からくみとってほしい。

　このように、「ことばのたつじん」「かんがえるたつじん」の子どもの解答（あえて「得点」ということばを使わないことに注目してほしい）は、一人ひとりの子どもの理解を診断するために有効である。もちろん、クラス全員の子どもの採点をすれば、子どもたちに共通した課題も見えてくる。**分数の単元に入るための前提知識を多くの子どもがもっていない、あるいは誤解をしている場合、まずそこを解きほぐしてからでないと分数の学習内容は理解されない**はずだ。「かんがえるたつじん」は子どもが数に対してどのような概念（後述の「スキーマ」）をもっているかを採点者に示してくれるはずである。

　多くの子どもに共通して見られる課題は、もちろん、教育政策の決定にも参考にされるべきである。当該学年の教科の学習内容をきちんと理解するためにはその前提となる知識や思考力が必要である。それをもたない子どもたちにいくら丁寧に一生懸命教えても単元の内容を深く学ぶことができるとは考えにくい。

　広島県調査では小学2年生を対象に業者による標準学力テスト（国語、算数）を、福山市調査では小学3,4,5年生を対象に算数文章題テストを、それぞれ「学力」の指標とするために実施し、2つの「たつじんテスト」と「学力」の関係を検討した。2つの「たつじんテスト」の得点は、国語・算数の学力指標のどちらに対しても、非常に高い相関が見られた。また、「ことばのたつじん」「かんがえるたつじん」のそれぞれの総合得点で子どもを上位、中位、下位層に分けて、それぞれの階層における学力テストの平均得点を出してみると、見事に2つの「たつじんテスト」と学力テストの得点が連動していることがわかった。特に、算数学力との連動は顕著であった。これは、算数学力のほうが、国語学力よりも、学年内の差が大きく、同じ学年の子どもの学力差の背後に、「ことばのたつじん」で測っている言語力と「かんがえるたつじん」で測っている数や形の直観的理解、そして知識を組み合わせて推論する思考力が大きく関わっていること

を示している。

その意味で、この2つのテストは、政策決定のためにデザインされたものではないが、行政の意思決定に考慮してほしいし、またされるべきだと思う。**公教育の目標はすべての子どもが落ちこぼれることなく、生き生きと学ぶことができるような環境と支援を提供することであるはずだ。そうであるならば、現行の学習指導要領のどこに子どもがつまずくのか、それはなぜなのかを知ることは、教育の施策に欠かせない視点のはずである。**

本来、学習指導要領やさまざまな教育のための施策は子どもの学びの認知過程と知識の状態を科学的に吟味し、エビデンスに立脚して策定されるべきである。しかし実際には、学習指導要領は文部科学省の職員と有識者によって、子どもはこういう内容を何学年で学ぶべきである、というこれまでの慣習と理念先行で策定されている。理念はもちろん重要であるが、各教科の学習内容を深く理解するための前提としてどのような知識や認知能力が必要か、当該学年の子どもがその知識や能力を有しているか、ということが十分に考慮されなければならない。

本書で報告する調査結果は、**多くの子どもが算数に関して、単元を学習するために必要な背景知識や認知能力をもたない状態で単元の内容を学習し、必然的に内容が「生きた知識」として定着しない状態でさらに新たな単元を学習するという状況にある**ことを示している。(「生きた知識」とは何かについては1-3節で述べる)。この状況は改善しなければならないが、それをすべて**教育現場の責任(教え方の問題)**とするのではなく、**学習指導要領で定める学習内容と学習時期の見直し、知識や認知能力の個人差を考慮した授業形態を、国や自治体の教育行政の施策として検討すべきなのではないだろうか。**

1-2　学力とは何か

2つのテストが一人ひとりの子どもの学習のつまずきを理解することを

目的としているからには、そもそも「学力とは何か」という問いを避けて通ることはできない。当然ながら、これは非常に難しい問題である。**本来「学力」とは入学試験や模擬試験で獲得した得点のことではない**はずだ。

　文部科学省の学習指導要領の柱として、「生きる力」を育てるという目標があげられており、そこに込められた「思い」を「これからの社会が、どんなに変化して予測困難な時代になっても、自ら課題を見付け、自ら学び、自ら考え、判断して行動し、それぞれに思い描く幸せを実現してほしい」と紹介している [2]。そして「生きる力」を構成する３本の柱として「学びに向かう力、人間性など」「知識及び技能」「思考力、判断力、表現力など」と書いてある。

　「社会がどんなに変化しても自ら学び、考え、判断して行動し、それぞれに思い描く幸せを実現」するのが義務教育の目標であるということにはまったく同意する。しかし、その目標がどの程度達成できているのかの客観的な指標を開発するのは困難を極めるだろう。**目標が抽象的すぎる**からだ。「生きる力」＝「学力」なのだろうか。それは少し違うように思う。実際、文部科学省が行う「全国学力・学習状況調査」は、国語・算数など教科で学習した知識を問う調査となっており、「学びに向かう力」や「人間性」は含まれていない。つまり、文部科学省の学習指導要領は、「学力」について、少なくとも目標が達成できているかどうかを客観的に測ることができる粒度では記述されていない。

　認知科学の視点では、学力という概念をもう少し具体的に定義する。認知心理学・教育心理学を中核にした認知科学の理論の枠組みでは、学力を「教師の話や教科書、副教材、その他の情報リソースを読み取り、自分の知識の体系に組み入れ、統合させ、知識の体系をアップデートし、複雑な問題を解決する力」と捉える。これは、**学び方を自ら考え、工夫し、「生きた知識」の体系を構築することができる力**、と言い換えることができる。しかし、この定義も、「生きた知識」をきちんと定義しないと、空虚であやふやな、単なることばの言い換えになってしまうので、「生きた知識」

の定義を次にしておきたい。

1-3 「生きた知識」とは何か

　「生きた知識」とは何か。一言でいえば、必要なときにすぐに取り出すことができ、問題解決のために運用することが可能な知識である。その逆の「死んだ知識」と対比すると直観的に捉えやすい。「死んだ知識」は学習者の頭の中に情報の項目としては存在するが、問題解決の場面では想起できず、運用できない形の情報である。要するに「使えない知識」である。

　英語を学習した経験があれば、だれしも say の意味を問われたら「言う」とか「話す」と答えることができるだろう。しかし、「say＝言う」ということだけ覚えていても、実際に say という単語を使って英文を作ることができない。つまり、この知識は「死んだ知識」なのである。say を使って英文を作るためには、say が使える構文を知らなければならない。つまり、文法の知識とリンクされていなければならない。また、say が speak, tell, talk など、日本語では同じように「言う、話す」と訳される単語とどう違うかも知らなければならない。つまり、say をめぐるさまざまな知識と say が関係づけられ、統合されてはじめて、say についての知識は「生きた知識」つまり「使える知識」となる。

　同じことは足し算の知識にもいえる。3＋5＝□という問題に対して、□に8と入れられても、それだけでは足し算の「生きた知識」とはいえない。驚くほど多くの小学生が、高学年の子どもでさえ、3＋□＝8で□に入るのは？と聞かれると答えられないことが私たちの調査でわかった。こういう子どもたちは、教えられたとおりの足し算のしかたは覚えても、「足し算の理屈」つまり数と数を「足す」とはどういうことなのか、足し算と引き算はどういう関係なのか、などの根本が理解できていない。だから問題の形式が少しでも変わってしまうと、もう答えることができない。これも「死んだ知識」の例である。

「死んだ知識」でも正解できるテストは世の中に数多く存在する。多く
の子どもが、「死んだ知識」で正解できる問題は正解できても、「生きた知
識」が必要な問題は解くことができない。この観点は、「学力」を測るテ
ストをデザインするときに、ぜひ反映されなければならない。**「学力を測
るテスト」といいながら、実は「死んだ知識」を測っているだけなのでは
ないか、ということは明確に意識されなければならない。**

　「生きた知識」は「応用力」のことではないか、と指摘される読者もい
ると思う。しかし、「応用力がない」と言ったところで、それもただのこ
とばの言い換えにすぎない。それで子どものつまずきについて何かわかっ
たことにはならないからである。「○○ちゃんは応用力がないんですよ」
と担任の先生に言われたら、親として何をしたらよいのだろうか？　市販
されている小学生向けの教科の問題集などでは「応用問題」を効率的に学
習できると謳っているものが多くある。そういった応用問題をたくさん解
かせればよいのだろうか？　実際、そういうことを考える教育者や保護者
は多いのではないかと思う。**しかし、つまずきの根本を放置したまま、応
用問題が解けない子どもにたくさんの応用問題を強制的に課したら、子ど
もは勉強が嫌いになり、自己肯定感が著しく低下するだけである。応用力
は絶対つかない。**

「生きた知識」の要件

　「生きた知識」であることの要件は4つある。(1)システムの一部となっ
ていること、(2)反射的に身体が動くかのごとく問題解決のために必要な
形ですぐに取り出せること、つまり身体の一部になっていること、(3)絶
えず修正され、アップデートされること、そして(4)自分の理解の程度が
過大評価されておらず、自分は何がわかっていないかがわかっていること。
以下、それぞれ短く解説していくが、詳しくは、今井むつみ『学びとは何
か』(岩波新書)を参照してほしい。

知識のシステム化

「生きた知識」は、知識の要素の断片ではなく、要素同士が関連づけられ、連動して動くシステムである。あることを学習したら、それと関連する内容と比較し、差異化することが記憶の痕跡を強め、新たに学習した内容はもとより、すでに学んでいた内容の記憶の痕跡も強める[3]。

システム化された「生きた知識」をもつためには、知識はシステムであることを理解し、いま学習している内容が、より広い文脈ではどのシステムに含まれるのかを意識することが必要である。知識についてどのように考えているかという「知識観」(エピステモロジー)はどのように学ぶかに大きな影響を与える[4]。知識がシステムであるということを学習者が認識せず、知識は断片的な要素でそれをひたすら溜め込むことが大事だと思っていれば、断片的な要素をバラバラに暗記することに注力するだろう。しかし、知識をシステムとして捉えていれば、あることを学習したときに、この知識は他のどういうことと関連しているのかを考え、探索するだろう。他の知識と関連づけられない知識の断片をいくら溜め込んでも「死んだ知識」で終わっていることを学習者が直観的に理解していることが、知識のシステムの構築には必要なのである。

知識の身体化

どんなに一生懸命覚えても、その後想起されなければ人は必ずその内容の詳細を忘れる。知識は使わないで放置されると、脳から消滅してしまうわけではないが、記憶の痕跡が薄れていき、どんどん思い出すことが困難になってしまうのである。覚えようとするときに一生懸命工夫することはよく実践されているようだが、必要なときにすぐに思い出すことができるようになるためにも練習が必要ということはあまり知られていない。

外国語が「死んだ知識」になりがちなのに比べて、母語はどうして「生きた知識」になるのだろうか？　答えは「使い続けるから」である。母語は常に使う必要があるので、子どもは使いながら常に記憶の痕跡を強化し、

取り出しの練習をして、知識を身体の一部としているのである。

知識システムの修正

　人は、自分の経験を拡張し、一般化して知識の枠組みを作る。これまでの生活経験や学習経験の中で素朴に培ってきた、枠組みとなる知識のことを認知心理学では「スキーマ」とよぶ。スキーマは普通、その存在が意識されることがない、いわば暗黙の知識である。人はさまざまな概念に対して誤った(科学的には正しくない)スキーマをもっている。それは知識を習得する過程でごく自然で、避けられないことである。

　人は自分のもつスキーマに沿って、特定の情報に注意を向け、その情報を取り入れる。取り入れられた情報は、スキーマに沿う形で記憶される。「スキーマ」が誤っているとき、その修正は容易ではない。スキーマに合わない情報はいくら懇切丁寧に教えられても素通りしてしまうか、自分のスキーマに合うようにねじ曲げられてしまうからである。スキーマが誤っていると必然的に学習は大きく阻害されるので、誤ったスキーマは修正されなければならないが、正解を教えても、誤ったスキーマは簡単に崩れることはない。多くの子どもが数について誤ったスキーマをもっている。たとえば、「すべての数はモノを数えるために存在する」あるいは「すべての数は自然数である」というようなスキーマである。そしてそのようなスキーマが算数の理解を難しくしていることは、認知科学ではよく知られている。

　学習者が新たな知識を学び、その知識を自分の既存の知識と関係づけようとすると、学習者の既存の知識は、新しい知識によって揺さぶられ、再編成される。時には、概念は非常に大きく、深く、根底からいったん崩され、再構築される必要がある。スキーマを含めた知識の修正と再編成を繰り返すことが、生きた知識のシステムを構築することに不可欠なのである。

自分の知識状態がわかる

　誤った知識を修正するためには、自分の知識の状態を適切に評価できることが必要である。特に、あることについて「わからないことがわかる」ことは、そのことを理解するための大事な第一歩である。しかし、人は自分の知識を過大評価しがちであることが知られている[5]。よく耳にする、なじみがある科学的概念などは、その中身について（特にメカニズムについて）まったく説明できないのに、ことばを知っているというだけで、自分はその概念についてよく知っていると判断してしまうのである。たとえば非専門家は「コロナウイルス」の詳しい感染メカニズムについてはほとんど説明できないにもかかわらず、メディアでよく耳にするというだけで、コロナウイルスについての自分の知識を過大評価してしまう。また、ある内容を以前に学習し、そのときに理解したという経験があると、数年後でもそのことについて自分はよく「知っている」と思ってしまうバイアスももっている。「生きた知識」は、このような「知識の錯誤」に負けず、どのくらい「生きた知識」になっているのかをきちんと評価できる批判的思考能力に支えられていなければならないのである。

1-4　「生きた知識」を使うために必要な認知能力

　前節では「生きた知識」の要件として４つの特徴を述べたが、上記の要件を満たしていても、使えなければ「生きた知識」とは見なすことができない。では知識を使うとはどういうことで、どのような能力が必要なのだろうか？　答えを先に述べておくと、実行機能、作業記憶能力、視点変更能力（他者視点取得能力）、推論能力、メタ認知能力などの認知能力が必要である。以下、これらについて、それぞれ短く説明していこう。

実行機能

実行機能は必要な情報にのみ注意を向け、不必要な情報への注意を抑制

したり、注意を指示に応じて柔軟にシフトさせたりする能力、いわば注意をコントロールする認知機能である[6]。何であれ、問題に直面したら、まず大事なのは、自分の知っている「この知識が使える」ということが直観的にわかることである。しかし実は、問題解決には、問題解決には使わない(使えない)知識や外部の情報への注意を抑えることも同じくらい重要なのである。また、問題によって使う知識は違うので、前の問題で使った知識を引きずらず、切り替える柔軟性も実行機能に含まれる。

　たとえば、算数で文章題を解いていて、前の問題でかけ算を使うと、それに引きずられて次の問題も(本来はかけ算を使う問題ではないのに)かけ算を使ってしまうことがある。これは、そもそも足し算、引き算、かけ算、割り算の根本的な理屈や互いの関係がわかっておらず、「生きた知識」になっていないということが主原因ではあるが、同時に、ひとつの演算から別の演算に問題に応じてうまくシフトすることができず、ひとつの演算に固執して使い続けることも認知能力サイドの原因も存在するのである。

　また、そもそも問題文にある数字の中でどれに注目し、どれを無視するかも大事である。「船にはヤギが１匹、ウサギが５匹、犬が３匹乗っています。船長の齢は何歳ですか?」という問題に、多くの子どもが大真面目に「1+5+3＝9だから答えは9さい!」と答えたという有名なエピソードがある。アメリカの小学生の話である。本書で報告する算数文章題テストでも似たような解答が散見された。これも、もちろん、純粋に実行機能の欠如だけによるものではない。読者は、これは読解力の問題と考えるかもしれない。しかし、そもそも読解をするためには、必要な情報と不必要な情報をより分け、後者への注目を抑えるという実行機能が必要なのである。

作業記憶能力

　作業記憶は認知心理学の重要な概念である。記憶には、情報を短時間貯蔵する短期記憶と長期に貯蔵する長期記憶がある。短期記憶はコンピュー

タでいえばバッファ（次に続く作業のために一時的にデータを蓄える短期の記憶貯蔵庫）のようなものである。短期記憶では、情報をただ貯めておくだけでなく、その情報を使って、すでに長期記憶にある知識と照らし合わせたり統合したりして、心の中で計算をしたり、操作をしたりする。この認知プロセスを作業記憶（あるいは作動記憶）という。計算問題を解くためには、テキストの数字を読み取り、記憶のバッファに入れ、計算手続きの知識と統合して答えを出す。サッカー選手は現在のボールの位置を追いながら、自分のチーム、相手チームのだれがどこにいるかという情報を視覚から取り入れ、これまでの経験から得た知識と統合し、どこにパスを出すか、あるいはどこにパスが出されるかを瞬時に判断する。これらの心の中でリアルタイムで行う操作に作業記憶は中核的な役割を果たすのである。

　どれだけ多くの情報を一度にバッファに取り込み、どこまで複雑な操作ができるかには個人差があり、この個人差はある程度学力と相関があると報告されている。ちなみに、作業記憶の容量や効率性の個人差は生まれつきの要因よりは、訓練による効果が圧倒的に大きいとされる[7]。

視点変更能力（他者視点取得能力）

　小学校でも高学年になるほど、学ぶ内容は抽象的な概念となっていく。算数や理科はその典型であるが、どの教科でも、抽象的な概念の理解は必須である。抽象的な概念の理解のために不可欠なのが、文脈に応じて視点を変更できる能力である。この能力は他者の視点をとることができる能力や相対的にものごとを捉えることができる能力と不可分である。

　幼児は基本的に自分に見えるものは他者にも見える、自分に見えないものは他者にも見えない、という自己中心的な見方をしている。しかし、抽象的な概念を扱うためには、自己中心的な視点から離れ、他者の視点からモノが（あるいはできごと、ものごとが）どう見えるかを習得していく必要がある。他者の視点でものごとを見るというと、他者の気持ちを理解するという社会性の能力が注目されることが多い。しかし、ことばを使うのにも、

算数を理解するのにも視点変更能力は欠かせない。「あげる」「もらう」「くれる」などのモノの授受に関する動詞や、右や左などの空間関係のことばを使いこなすには、この能力が必要である。

　時間の概念の理解もこの能力が前提となる。時間の概念には、1分は60秒、1時間は60分、1日は24時間、1週間は7日というように、「1」を構成する異なる単位がある。時間概念の理解には、ある単位から別の単位への変換が必要であり、それには視点を柔軟にシフトする能力が必要なのである。もちろん、「1」の理解は時間に限らず、単位を扱うすべての問題の解決に必要である。後で取り上げるように、同じモノや事象を文脈によって異なる単位で表し、扱うということは、すべての教科において抽象的な内容を学んでいくうえで必要になる。この操作は視点を文脈によって柔軟に変えるという視点変更の操作が必要になるのだが、これが多くの子どもにとって大きな問題となっている。視点変更能力は、学力の前提となる基盤能力の中で必須であるが、子どもが身につけるのにとても苦労する力なのである。

推論能力

　教えられた情報が学び手の中で「知識」になるかどうかは推論にかかっているといっても過言ではない。教え手がどんなに懇切丁寧にわかりやすく概念を教えても、それは、概念の「点」としての一事例でしかない。概念を「点」としてしか理解していない場合、与えられた例とほぼ同じ状況でしか、その概念を問題解決に使えない。教えられた概念を別の状況で使うことができるためには、推論によって点を面に広げなければならない。それは学び手が自分でするしかないことなのである。こんなことでさえ推論が必要だということをわかってもらうために、幼児が新しいことばを覚えるときに、どのような推論が必要かを例に考えてみよう。

　子どもの目の前に、リンゴと、子どもが名前を知らないめずらしい果物がある。お母さんが、「フェイジョア食べようか。フェイジョアとってち

ょうだい」と子どもに言ったとしよう。子どもはリンゴではなく、名前を知らないほうの果物をとった。それは、「こっちはリンゴだ。リンゴのことを言っているのなら、お母さんは『リンゴをとって』と言うはずだ。だからリンゴじゃないほうがフェイジョアなんだ」と推論した結果である。子どもは「これはフェイジョアよ」と教えられることなく、推論によって「フェイジョア」という今まで知らなかったこの果物の名前を覚えたのだ8)。

　このような推論は2歳児でもできることが示されている。動詞はどうだろう。幼児にだれかが特定の動きで動作している動画を見せる。たとえば、着ぐるみのクマが四股を踏むような動きで前進しているとしよう。そのとき、「あーら、クマさんがネケっているよ！」と実験者が言う。そのあと、同じ着ぐるみのクマがぴょんぴょん飛び跳ねながら前進している動画と、着ぐるみのウサギが、さっきのクマがしていたのと同じように四股を踏みながら前進している動画を見せる。そして「ネケってるのはどっちかな？」と聞く。成人はもちろん、ウサギの着ぐるみが同じ動作をしているほうの動画を選ぶ。5歳児もその動画を選ぶ。しかし、3歳児の多くは、どちらかわからない9)。教わった動詞は別の人物がしていても動作が同じなら使えるのか、使えないのか。これはまさに、教えられた点を自分で面に広げる過程で起こる問題なのだが、3歳児にはちょっと難しい推論なのである。

　数の数え方を覚えるにも推論が必要だ。Y君という小学1年生に出会った。Y君は数を数えるのに苦戦していた。Y君の目の前には一円玉、十円玉、五十円玉、百円玉が積んであった。先生がY君に「53円（ごじゅうさんえん）先生にちょうだい」と言った。Y君はまず一円玉を5枚とり、次に十円玉を1枚、さらに一円玉を3枚とった。「ごじゅうさん」という音で表される数を耳で聞いて、Y君は5＋10＋3と解釈したのである。

　この解釈は単なる「おバカな思い違い」なのだろうか。そうではない。Y君なりの推論の結果である。Y君は1から「いち、に、さん、…」と

数えていって「じゅう」までいったらその次は「じゅういち、じゅうに、じゅうさん…」と数えていくことを知った。ここから10から先は10に「いち、に、さん…」と足していけばよい、と考えた。それをさらに拡張して、「ごじゅうさん」は5＋10＋3のように数字を自分のわかる最小単位に分割してそれを足していくという規則を導出したのである。Y君の友達が53円を正しく五十円玉1枚と一円玉3枚で「ほら、これが53円」と正解を見せたとき、Y君は納得せず、「10円が真ん中にないから、ちがってる」と言い張っていた。数を数えることを学んでいる子どもは、合っているにしろ、間違っているにしろ、自分なりに推論をして、その仕組みを考えている。推論なしには数を数えるようになることもできないのである。

メタ認知能力

「生きた知識」とはどういう知識かを述べた前節で、「生きた知識」を得るためには自分の知識の状態を振り返り、把握できる能力が必須だと述べた。これは「批判的思考」ができる能力とほぼ同じだと言ってよい。批判的思考をするための中核になるのがメタ認知能力なのである。これは、自分をちょっと離れたところから俯瞰的に眺め、自分の知識の状態や行動を客観的に認知する能力のことである。

先ほど「船にはヤギが1匹、ウサギが5匹、犬が3匹乗っています。船長の齢は何歳ですか？」という問題で、多くの小学生が文にある数を足して9歳と答えたエピソードを紹介した。この誤答は普通なら読解力の問題と受け止められるだろう。しかし、認知科学的には、メタ認知の問題とも考えられる。メタ認知を働かせ、答えがほんとうにそれでよいのかをちょっと考えれば、船長の齢を聞かれているのに動物の数を足したらおかしいのではないかとか、そもそも9歳だと自分たちと同じ子どもだけど船長になれるのだろうか、と疑問に思うだろう。それをまったく疑問に思わず、すまして9歳と答えた子どもは、メタ認知能力が足りないといえる。読解力がないとされる行動の背後には、往々にしてこのようなメタ認知能力の

弱さがあるのである。テストで解答後に見直しをするようにいくら指導されても、メタ認知が働かなければ、自分の答えの誤りに気づくことはできない。

1-5　テストデザインの基本理念

従来の心理テストや知能テストとの違い

　ここまで「生きた知識」の性質と、それを習得するために必要な認知能力について述べてきた。次に直面する問題は、どのようなテストを作ればそれらの能力が子どもに備わっているか否か、どの能力が弱いのか、ということがテストの採点者（主として教師を想定している）に読み取れるのかである。

　「ことばのたつじん」と「かんがえるたつじん」は、学力の基盤となることばや数についてのスキーマを子どもが十分にもっているか、そしてそれらの知識を言語の使用、文章の読解、算数の問題解決などに適切かつ柔軟に運用することができているかを測ることを主眼にデザインされた。ただし、前節であげたそれぞれの能力を他の能力と切り離し、単独で測るようなことはしていない。これは一般的な心理テストとは大きく異なる点である。心理学では、「○○因子」「○○能力」を測るテストを開発するとき、背景知識の有無に影響されずに当該の能力が単独で取り出せるようにするのが一般的である。

　典型的な心理テストでこれまで作業記憶や実行機能がどのように測定されてきたか紹介しよう。作業記憶の容量を測る指標として、数や単語の羅列をいくつまで覚えられるかがよく使われる。難易度を高くするなら、それを逆から再生する、というのもある。「カ・リ・コ・ス・カ」と聞いて、それを「カ・ス・コ・リ・カ」と言えるか。逆順でいくつの音まで再生ができるかで記憶容量を測るわけである。

　「ストループテスト」は実行機能を測るテストとして広く使われてい

る[10]。実験参加者が見ているコンピュータの画面には、赤、青、黄など
の色の単語が次々と提示される。それぞれの単語は、異なる色で書かれて
いる。「赤」という単語が赤い色で書かれている場合もあれば、赤以外の
色(たとえば青)で書かれている場合もある。実験参加者は提示された文字
が表す「単語」ではなく「文字の色」を答えなければならない。文字の色
と単語の意味が不一致だと、一致している場合に比べて答えるまでの時間
が遅くなるのだが、どのくらい遅くなるのかが、個人の実行機能を測る指
標となる。このテストで測られるのは、課題遂行に関係のない情報への注
意を抑制する機能である。

　実行機能の指標として子どもに対してよく用いられる課題としては、
「『サイモンが言ったよ』課題」や「昼／夜課題」がある[11]。「サイモンが
言ったよ」課題では実験者が頭に触る、膝に触る、前に進む、などいろい
ろな動作をする。子どもは、実験者が「サイモンが言ったよ」と言いなが
ら動作をしたときだけ実験者の真似をし、この枕ことばを言わずに動作を
したときには、真似をする衝動を抑えて何もせずじっとしていなければな
らない。一方、「昼／夜課題」では、裏返しにされたカードをめくって、
太陽の絵が出たら「夜」、月の絵が出たら「昼」というように、その絵と
関連する概念の反対の概念を表すことばを言うように子どもに求める。同
じ実行機能の課題といっても、この課題で測っているのは、注意の抑制で
はなく、注意の柔軟なシフトだろう。

　しかし、作業記憶や実行機能の細分化された下位機能が互いに関連せず
に単独で存在し、その足し算で「認知能力」が構成されているわけではな
いし、子どもが日常生活や学校の授業で学ぶとき、特定の課題が測る細分
化された機能が単独で使われることはまずない。実際のところ、これまで
の研究の積み重ねから、作業記憶や実行機能が学力に関係することは間違
いないところではあるが、単純な課題での成績と学力の間の相関は、統計
的には有意であってもごく弱いものになりがちである[12]。したがって心
理学の基礎研究で使われている複数の実行機能課題をそのまま子どもたち

にさせても、それで子どもたちの学習のつまずきのほんとうの原因が明らかになるとは考えにくい。

　理解のつまずきの原因としてもっとも大きいのはスキーマの誤りである。すでに述べたように「スキーマ」とは人が経験から一般化、抽象化した、無意識に働く枠組み知識である。前述のように、子どもは「すべての数はモノに対応した自然数である」という思い込みをもっている。このスキーマは、小数や分数の概念の理解を大きく妨げているのだが、教育現場においてスキーマについての理解が浸透しているとは言い難い。そこで子どもがどのようなスキーマをもっているかを、テストを採点する先生が見てとれるように本テストをデザインした。

　問題を解決するためには、その問題を解くために必要な知識や外界の情報を探してこなければならない。しかし、この問題を解くのにこの知識が関係する、とわかっただけでは問題は解けない。必要な情報や知識にだけ注意を向け、目の前の問題の解決には必要でない知識や情報へ注意を向けないようにしなければならない。そのため、今、問題解決をするために必要な知識や情報だけに注意を向けることができるよう、実行機能を働かせる必要がある。

　実行機能はメタ認知とも深く関わっている。必要な情報や知識に注意を向けるためには、問題解決に必要な知識を自分がもっているのかいないのかを把握できていなければならない。**何かの学びが困難なときには、この3つ、つまり、学習者のもつ誤ったスキーマ、実行機能、メタ認知能力が複合的に絡み合って生まれることが多い。**このとき、3つそれぞれを別々に測定し、それを足し合わせたら子どものつまずきがわかるかというと、そうはいかない。**学力はそれが包含する基礎的な知識や認知能力の単純な足し算で成り立つものではない。それらのすべてを状況に合わせて最適に統合させることができる学習者（子どもも成人も）が高い学力を有するのであり、学びの達人なのである。**

　ここまで述べた認知科学の知見をもとに考えれば、子どもの学力不振の

原因を突き止めようと思ったら、スキーマ、実行機能、メタ認知の３つの点において、それぞれの子どもがどのような課題をもっているか、またこの３つがどのように絡み合っているのか見てとれるようなアセスメントバッテリーが必要だということになる。この着眼点が、従来の知能テストや認知能力テストと、「ことばのたつじん」「かんがえるたつじん」との大きな違いである。

「ことばのたつじん」で見ている知識と能力

　「ことばのたつじん」「かんがえるたつじん」の詳しい内容については後に第３章、第４章で述べていくが、ここで、上記のデザイン理念を「ことばのたつじん」でどのように反映させているのかを概観しておこう。「ことばのたつじん」は①②③の３部に分かれている。数字が大きくなるほど難しくなるわけではない。①は、一般的な語彙知識を測るテストである。それについては、第３章でもう少し詳しく述べるが、大まかには「語彙の広さ」を測ることが「ことばのたつじん①」の目的である。ただし、そこでも、それぞれのことばの「深い意味」を測るための工夫はされている。

　「ことばのたつじん②③」が上記の理念を直接反映したものとなっている。②では「前・後・右・左」などの空間のことばと「２日前、５日後、１週間先」などの時間を表すことばを、状況によって柔軟にかつ的確に運用できているかを見ることを主眼にした。たとえば「前」や「右」ということばを小学生に知っているかと聞いたら、自信をもって「知っている」と答えるだろう。しかし、「前」や「右」の意味は、自分自身の右手がどちらであるかがわかるだけでは、ほんとうにわかったことにはならない。これらのことばの運用は、話し手の視点に依存する。「右」や「前」が、自分中心の視点ではなく、文脈で指定された視点をとって運用できなければ、「右」や「前」の意味をほんとうに知っているとはいえないのである。言い換えれば、「前後左右」は自分の右を他者の視点に置き換える力と統合されないと問題解決に使えないのだ。

時間を表現するときにも「前」や「後」を使う。このとき、言語は、2つの異なる視点枠を用いている。時間が未来から過去に流れているモデル（このモデルでは「前」が過去、「後」が未来となる）と、自分が未来の方向に向いて動いていくモデル（このモデルでは未来が「前」、過去が「後」となる）である [13]。「運動会は1週間前にもう済んだ」と話者が言ったとき、話者は過去の方を向いているのか、未来の方を向いているのか。聞き手は文の中で直接表現されていない視点を推論しなければならない。（この2つの時間のモデルについて詳しくは第3章で説明する。）

　「生きた知識」というのはシステム化された知識、ということも述べた。再び「前後左右」の例で考えてみよう。「右」ということばは、「前、後、左」との関係性を知らなければ意味をもたない。「右」を文脈に即して自在に使いこなすためには、「前後左右」には、自分を中心にした視点枠と、外界の特定の対象を中心にした、対象中心の視点枠がある、ということを知らなければいけない。しかも「知っている」だけでは足りないのだ。どの状況だと自分中心の視点枠がとられやすいか、あるいは外界の対象が中心になる視点枠が取られやすいかも、成人母語話者は知っている。視点の枠組みの使い方は人によって「揺れがある」ことも知っている。

　20年以上前になるが、今井は成人日本語話者が、「前後左右」をどのように使うのかを実験で調査した [14]。背なし丸椅子、背あり丸椅子、ロボット、モニターの4種類のモノを画面中央に置き、その周囲に30度間隔で、ランダムな順番で、花瓶やボールが置かれていく。画面には「花瓶はロボットの＊にあります」という文章と「前後左右」のボタンが提示され、実験参加者は、文の＊にあてはまるものをマウスでクリックして反応した。花瓶が置かれている位置が「右」と答えた人は、自分中心の視点をとっている。逆に「左」と答えた人は、モノ中心の視点をとっている。ロボットに視点を置くと、ロボットの右は自分から見て左方向である。

　実験結果の一例を**図1-1**に示す。背もたれがない丸椅子では、ほぼ100%の人が、「花瓶は椅子の右」と答えた。しかし、同じ椅子でも、背

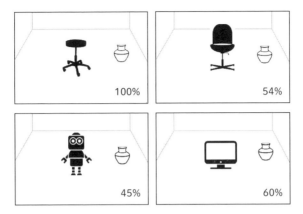

図 1-1 花瓶が参照物体の「右」にあると答えた人の割合(Imai et al., 1999 [14])

もたれがついている場合には、「花瓶は椅子の右にある」と答えた人は 54% になってしまった。ロボットの場合、この図で花瓶はロボットの右にあると答えた人は 45% しかおらず、残りの 55% の人は、ロボットの左にあると答えた。モニターの場合には、花瓶はモニターの「右」と答えた人が 60% で、「左」と答えた人よりも多かった。

　平均値のみを見ると、一見、実験参加者たちは、この 2 つのシステムの使い方がわからずランダムに反応しているように思うかもしれない。しかし、この状況で、花瓶を少しずつ動かしていってそれぞれの場所で前後左右のどれを選んだかを精査すると、決してランダムなのではなく、一人ひとりの反応は一貫していた。ロボットの場合にしろ、モニターの場合にしろ、この状況で「右」と答えた人(つまり自分中心の視点枠をとった人)は、その逆側(180 度)に花瓶が置かれた場合はほぼ必ず「左」と答え、この状況で「左」と答えた人(つまり対象中心の視点枠をとった人)は逆側に花瓶が置かれると「右」と答えていた。指示対象となる物体の参照点となる物体によって、自分中心の視点をとるか、参照物体中心の視点をとるかは実験参加者によって違うのだが、参照物体での視点枠がいったん決まると指示

される物体(花瓶)がどの場所に置かれても、その視点枠は固定されていた。

　つまり、「右」ということばが「生きた知識」として運用されるためには、前、後、左というシステムを構成する他の単語と連動していなければならない。さらに、これらのことばは２つの視点枠で使われること、どのようなモノが参照物体の場合にはどちらの視点枠をとりやすいか、という暗黙の知識を大人は使っている。このような暗黙の知識はスキーマである。スキーマをもってはじめて「右」ということばを自在に使うことができる。

　「ことばのたつじん②」では、まさに、日常生活を営むうえで欠かせない(小学生ならだれでも「知ってる！」と言う)単語群を子どもたちがシステムとして理解し、自分以外の視点をとることができ、文脈に応じて視点を自在に変更できるかを問う。つまり、日常的に使われることばについて「システム化された生きた知識としてのスキーマ」をもち、文脈に応じて自由に視点を変更できる他者視点取得能力と実行機能をもっているかが見てとれるように「ことばのたつじん②」を作った。

　「ことばのたつじん③」は、②と同様に、日常的な動作を表す動詞について子どもたちがシステム化された生きた知識をもっているかを見るためにデザインした。１つの動詞だけを知っていても動詞を的確に使うことはできない。その動詞と似た意味をもつ別の動詞とどのように意味が違うのかを知っている必要があるのだ。たとえば「切る」を正確に運用するためには、「切る」が「刈る」「むしる」「裂く」「ちぎる」などの類義のことばとどのように使い分けされるのかを知っていなければならない。

　さらに、動詞が正確に運用されるためには、文法の知識と統合され、正しい活用で動詞を使えていることも必要である。日常使われる動詞の知識が、システム化され、文法の知識と統合されているかを見るために、「ことばのたつじん③」では、動作のイラストを見せ、[　　]の中にもっとも適切な動詞を活用させて書き入れるといった、いわゆるクローズテスト(cloze test)形式の問題を出題した。使われた動詞は「破る、切る、折る」をはじめとしたモノに力を加えてモノを変形させたり分断したりする一連

の動作の動詞や、モノを持ったり肩に背負ったりする、モノを体の異なる部位で支えて保持する一連の動詞など、どれも小学生でも十分なじみのある日常的な動作動詞である。

　クローズテストはまったく自由に文を作るわけではないが、イラストの動作にもっとも合う動詞を自分で適切に活用させて書かなければならない。一般的には多肢選択のテストのほうが、正答率は高くなる。選択肢自体が手がかりになり、想起(記憶の取り出し)を助けるからである。しかし、私たち大人が仕事などで文章を書くときには、単語の選択肢が提示されているわけではなく、書こうとしている内容にもっとも適切な単語を自分で想起する必要がある。動詞は文全体の構造を支える司令塔なので、的確な動詞を思い出して適切に使えるかどうかは文章の質に大きく影響する。日常的な動詞が「生きた知識」として、それぞれの動作でもっとも的確な動詞を自分で想起し、自動詞・他動詞の違いや動詞の活用の知識を統合して、適切な形で[　　]の中に書くことができるかどうかを見たかったのである。「ことばのたつじん③」は、子どもの文字表記の知識や、音の聞き間違いによる思い違いも同時に見ることができる。たとえば「ちぎって」という動詞を「ちぎて」と書いたり、「きじって」と書いていた2年生が何人かいた。

「かんがえるたつじん」で見ている知識と能力

　「かんがえるたつじん」も3部構成になっている。「かんがえるたつじん①」は、小学生が算数で「生きた知識」を学ぶために必要となる数や量についてのスキーマをもっているか、誤ったスキーマをもっていないかを測る。「かんがえるたつじん②」では形をイメージし、心の中でその形の隠れている部分を補完したり、回転させたりすることができるかを、「かんがえるたつじん③」では推論力を見てとることができるようにデザインされている。

　算数は抽象的で難しい。「数」という概念自体が複雑なシステムだから

である。「かんがえるたつじん①」で主眼とする数に関するスキーマは、算数の授業で教えられるものというより、日常生活の中で数や量に触れることで身につけた概念理解であり、それを問うものになっている。自然数や有理数について子どもが素朴にもつスキーマが高校の数学の成績を含めて、小学校高学年以降の算数・数学の理解を高く予測することが認知科学の多くの研究によって示されているからである[15]。

　小学生は、まず数のシステムを学ぶ。1から10まで、次に10から100まで、100から1000まで、と数え方を学んでいく。多くの子どもは、乳幼児期には、モノとの対応で数を理解する。モノの数を数えるために「数」が存在すると思っているのである。したがって自然数でない数、つまり小数や分数で、その意味を理解することに高い壁がそびえている[16]。

　数がモノを数えるためにあると思っていると、もうひとつの数の重要な性質の理解が難しくなる。それは数や量を相対的に捉えることである。小学生が分数の理解に苦しみ、割合や比率の問題に苦戦することはよく知られている。割合や比率を理解するためには、ある数あるいは量を「1」(つまり単位)と見なす必要がある。たとえば「現在子どもが40人いるクラスの定員を2割減らしたら新しい定員は何人になるか」という問題を解くためには40人を「1」としたときにその8割は何人か、と考えなければならない。

　「かんがえるたつじん①」では、0から10、あるいは0から100といったスケール(尺)を与え、問題で与えられた数がそのスケール上のどの辺にあるかを矢印で示す、という問題を含めた。各問題のスケールは同じくらいの長さの線だが、スケールの終点によってその数字の数直線上の位置は変わる。この種の問題では、子どもが数をモノに結びつけるのではなく、与えられたスケール上で相対的に考えられるかを見る。つまり、数のスキーマを問うと同時にそのスケール上で、数を相対的に捉え、スケールに応じて柔軟に変換する能力を見る。このような「相対スケール課題」は子どもの算数学力を高く予測することが、先行研究で示されている[17]。

子どもが分数が苦手なのは、通分のような計算の手続きがわからないことより、分数の概念そのものが理解できていないことが原因である可能性が高い。多くの子どもにとって、分数はケーキやピザを分けるときに使う数という認識しかないのかもしれない。ここでもスケールを使い、0から1のスケールで、$\frac{1}{2}$, $\frac{9}{10}$, $\frac{2}{5}$ などの数がどこにあるのかを示す問題を含めた。また、$\frac{1}{2}$ と $\frac{1}{3}$ など、小学校低学年が算数で扱う典型的な分数について、どちらが大きいかも聞いてみた。数の概念を理解するためには、（小学生なら）整数、分数、小数の関係を理解することも必要なので、子どもがよく目にする分数と小数（たとえば $\frac{1}{2}$ と 0.7）はどちらが大きい数なのかを聞く問題も含めた。この「数の大小課題」も子どもの数に対するスキーマを測るために有効で、算数学力への予測力が高いことが示されている [18]。

　「かんがえるたつじん①」では、実際、分数どころか、足し算、引き算、かけ算にもつまずいて当然と納得するような、いくつもの驚くべき誤解（誤ったスキーマ）が発見された。このことは後に、第4章で詳しく報告する。

　「かんがえるたつじん②」は図形を扱う。ただし、三角形、四角形、五角形などについての概念的なスキーマよりも、図形をイメージする能力、すなわち心の中で折りたたんだり、展開したり、回転させたりする能力を測る問題にした。ここでは、情報を保持しながらリアルタイムで心の中で操作する作業記憶能力がもっとも関わっているが、それは単に一時に保存できる情報量のテスト（作業記憶のテスト）ではない。情報を保持しながら必要な心的操作を行い、変換する能力は、数字や無意味単語を覚えることのできるバッファ（短期記憶）の大きさそのものよりも、算数の問題解決にずっと必要な認知能力である。

　「かんがえるたつじん③」は、推論能力の指標とするために開発した。すでに述べたように、推論の能力は学力の核を形成する認知能力である。推論と一言でいってもいくつかのタイプがある。「かんがえるたつじん③」では、いわゆる「論理的推論」といわれ、正解が必ず得られる演繹推論

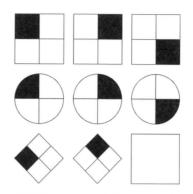

図1-2　レイブン行列テストの例
(https://commons.wikimedia.org/wiki/File:Raven_Matrix.svg)

(推移性推論)と、知識の一般化や創造にもっとも重要だと認知科学で考えられている類推に焦点を当てた。類推(アナロジー)とはある問題を解決するのに、その問題と同じ構造をもつ別の事例を引っ張ってきて、その問題にあてはめて解決を導き出そうとする推論である。

　類推の問題としては、「レイブン行列テスト」が有名である[19]。これは行と列それぞれで、左から右へ、上から下へ、図が変化する。行、列それぞれのパターンを導出し、一番右の一番下のコラムに列のルールと行のルールを統合して、どの図が入るかを考える(**図1-2**)。

　レイブン行列テストは成人用の流動性知能の指標としてもよく使われ、信頼性が高い推論テストであるが[20]、子どもには難しいし、いかにも知能テストのようで(実際、知能テストなので)フレンドリーではない。私たちは、子どもたちが、日常的にもっている、なじみのある文脈を設定して、2種類の類推能力を測る問題を独自に作成した。

　そのうちのひとつは、数、形、配置(図形の並び方)の3つの次元が同時に変化するA→Bのパターンを提示され、その類推でA′を与えられたときにB′を考えるというものである。(実際の例は第4章でイラストとともに詳しく説明する)。ここで見たいのは、2つ、あるいは3つの次元を同時に

心の中で操作しながら類推ができるかどうかである。言ってみれば、作業記憶の負荷を変化させつつ類推能力を見るのである。この課題は、もともとはフィンランドの研究チームが数の変化に自発的に注意を向ける能力を測定する指標として開発した課題[21]をベースにアレンジしたものである。数の変化にすぐに気づく子どもは幼少期から日常生活で数や量に興味をもって、数・量に自発的に注意を向ける注意システムを作っており、それが小学校高学年での抽象度が高い算数の問題解決の成績を予測するとこのチームは報告している。私たちもこの報告を参考にして、数・量に対する無意識の注意の指標としてこのような課題を開発した。したがって、この課題は、類推能力とともに、数に対して自発的に注意を向けるかどうかを示す指標でもあるのである。

　もうひとつの類推課題は、「拡張的類推課題」と名づけた、著者たちのオリジナルである。ハサミ→紙のように、2つのモノの間の関係がまず示され、これと同じ関係のモノのペアを探す。この手の類推課題は、子どもの類推能力を測る課題としてよくあるものである。A（ハサミ）：B（紙）＝C（ノコギリ）：D（？）のような形式で、Dにあてはまるものを選択肢の中から選ぶというのが一般的である[22]。

　拡張的類推課題は、一般的な類推課題とは違い、Cの項が与えられていない。AとBの関係からCもDも自分で探さなければならないのである。しかもこの問題では、CとDを1つではなく、複数探さなければならない。AとBがまず提示され、「おなじつながりをもつモノのペアを4つ、下の絵からさがしましょう。」という指示があって、絵にはモノのイラストがちりばめられている。「ウォーリーをさがせ！」のようなイメージである。

　子どもたちはまず、A→B（→の方向も大事）の関係性を導き、それを記憶して、同じ関係のモノ同士のペアを、AからBの方向性と同じ方向で→で結ぶ。実は、矢印を描いていく答えの絵には、求められている関係ではないが、別の関係ではつながりがあるモノ同士も含まれている。たとえば、

ノコギリと木があるだけではなく、フィラー（紛らわし）として、木につながりが深い鳥や葉っぱも含まれている。正解するためには、A→B（切る道具と切られるモノ）の関係を探すだけでなく、A→Bではないが、深いつながりがあるモノ同士への注意を抑制しなければならない。

つまり、この類推課題は、単にモノ同士の関係を見つけましょうという一般的な類推問題ではなく、簡単なモノ同士の関係を材料にして、作業記憶を使うと同時に、求められていない関係への注意の抑制をする実行機能を組み合わせて解く問題なのである。この類推課題は全部で4題あるが、4題の間で、AとBの関係はすべて異なっている。子どもからすれば、問題ごとに、「つながり」の基準を変えていかなければならない。つまり、文脈に応じて規則を柔軟にシフトさせる実行機能も働かせなければならないのである。また、自分の解答を見直し、自分が見つけたペアの関係が、例題と同じものになっているか、矢印の方向が正しいかをチェックすることも求められる。

この問題は、一言で表せば、幼児でも知っている日常的な知識を作業記憶や実行機能、メタ認知能力と統合して類推を行い、求められた問題を解決するという、いわば、推論の総合力を問うものになっている。このような総合的な推論能力はまさに、算数の文章題を解くのに求められるものであるはずだ。その意味で、著者たちはこの問題を「拡張的類推課題」と名づけたのである。

1-6 テストの使い方

ここまで、「学力とは何か」という問いまで遡り、「生きた知識」を習得する基盤の能力を認知科学の知見から考えて、「ことばのたつじん」と「かんがえるたつじん」のデザイン理念を述べてきた。この2つのテストの概要の最後に、実施における留意点と、簡便な実施が可能なように工夫した点についても簡単に述べておきたい。なお、テストの頒布の対象と入

手方法については付録3をご覧いただきたい。

対象学年

学力テストは必ず「○年生用」と対象学年が決まっている。それに対して、「ことばのたつじん」「かんがえるたつじん」は特定の学年用には作られていない。自分が教える子どもたちが、もしかしたらまったく読解力が足りていないのではないかとか、数・量について根本がわかっていないのではないかとちょっとでも疑うことがあったら、その原因を理解するために、ぜひ実施してほしい。中学生にも有効な場合もありうる。

2つのテストはもともと小学2年生用に開発した。広島県教育委員会から、算数などの教科が抽象的な概念を含むようになり、子どもがつまずく前になんとか手立てを考えるために2年生を対象に調査をしたいと依頼されたからである。しかし、著者たちは、小学生の幅広い学年に実施できるテストを作りたかった。2つのテストには特定の学年の特定の教科を学ばないと解けない問題は基本的には含まれていない。どちらのテストも、ことばや数・量について日常生活の中で子どもが自分で作り上げたスキーマを使えば（正解かどうかは別として）答えが出せるものである。そこで開発チームは、2つのテストの対象学年を「小学校2年生以上」とした。

「ことばのたつじん」は日本語を母語としない外国にルーツをもつ児童（以下「外国児童」と略称）を指導する先生たちにも使われていて、中学生に実施する場合もある。外国児童を指導する先生たちが、一般的な日本児童がそれぞれの学年で、それぞれの問題をどのくらいできているのかを知ることが有用だと考えたこともあって、福山市では「ことばのたつじん」は小学2年生から4年生まで（**表1**の福山市第2回調査）、「かんがえるたつじん」は3年生から5年生まで（福山市第3回調査）を対象に、各学年でそれぞれ約150人の子どもに調査に参加してもらった。実際、問題によって難易度にばらつきはあったものの、5年生でも全員が100点になるような問題、つまり5年生にとって容易すぎる問題はなかった。また、後ほど詳し

く述べるが、「ことばのたつじん」「かんがえるたつじん」の総合得点で、それぞれの学年を上位、中位、下位の3階層に分け、階層別に平均点を出してみた。するとどちらのテストでも一番下の学年の上位層の子どもは、一番上の学年の下位層よりも平均点が高かった。つまり、2つのテストは、学年が上がるとだれでも自然にできるようになるような性質のものではなく、2,3年生でもできる子どもはできるし、5年生でもできない子どもも一定割合いる、という性質をもつ、いわば、汎用的に小学生のことばの知識の運用力、数や量に対する直観や推論能力を測るテストになっているのである。

実施方法

「ことばのたつじん」と「かんがえるたつじん」は集団で簡便に実施できるように工夫した。現在入手可能な知能テストや語彙テストはほとんどが対面で行わなければならないし、実施方法も実施者が事前に訓練を受けて習熟しておく必要がある。それぞれの問題で時間の制限があるので、時間を測りながら行わなければならない。従来の子ども用の各種テストは、このように実施上のハードルが高かったが、「ことばのたつじん」「かんがえるたつじん」は、実施者はアセスメントバッテリーを印刷し、配布すればよい。それぞれのテストは40分の授業時間内に収まる長さである。また、それぞれが3部構成になっていて、15分から20分程度で実施できるので、授業時間を使わずに、「朝の時間」などに数日かけて分割して行うことも可能である。

採点

「ことばのたつじん」と「かんがえるたつじん」は子どもを指導する立場の人（ほとんどの場合は教員）が採点することを想定しており、ぶれなく客観的に点数化する採点基準が用意されている。このテストには選択式の問題と、子どもが答えを書く問題がある。（ただし、後者でも長い文章を書く、

いわゆる「記述式」問題はない)。

　たとえば「ことばのたつじん③」は、日常的な動作のイラストに対して「おせんべいを手で［　　］います」という文が与えられていて、括弧内にあたることばを入れて文章を完成させる。このとき、動詞が合っているだけではなく、活用形と表記もすべて正しい場合に満点が与えられる。活用形が間違っていたり、表記が誤っていたりしたら１点ずつの減点になる。

　「かんがえるたつじん③」の問題では、問題文に、例示された２つのモノと同じ関係(つながり)があるモノ同士のペアの数を指定してある。指定された数のペアがすべて矢印の方向まで含めて正しく結べていて、かつ、余分な線が描かれていなければ満点となる。矢印が描かれていなかったり、方向が間違っていたり、ペアの数が足りなかったり多すぎたりした場合には、決まったアルゴリズムで減点していく。これを基準どおりに採点するのは、慣れるまではちょっとたいへんかもしれないが、慣れれば一貫した採点ができるはずだ。

　しかし、**大事なのは点数をつけることではないので、無理に得点化しなくてもかまわない。**このテストを採点していると、選択式ではわからないさまざまな子どもの考えや理解のしかたが見えることがある。その見取りのほうが正確に得点をつけることよりもずっと大事なのである。

　たとえば「ことばのたつじん③」では、動詞の選択は正しいが、自動詞・他動詞の形を混同していたり、正しくない活用形で書いていたり、拗音や促音の表記が誤っていたりした解答が多く見られた。このような誤りから、この子どもは表記がまだしっかり定着していない、文法の知識が(ないわけではないが)自発的に文を書くときに正しく使えるレベルまで深くないことなどが見える。［　　］に正しい形にして書きましょう、という問題文があり、練習もしているのに、動詞を活用させず基本形で書いている子どもは、問題文を読もうとしていない、あるいはメタ認知を働かせていない、などの課題が見えてくる。また「かんがえるたつじん①」の数を数直線上に書く課題では、定規で測ってそこに矢印を描く(たとえば問題で

求められた数が1.5なら数直線のスケールにかかわらず、定規で測って1.5 cmのところに矢印を描く)子どもがいた。このような行動をとる子どもは、数の相対性が理解できておらず、数とはモノの数や定規の長さを表すものと捉えていることが見えてくるのである。

　あらためて強調しておくが、2つの「たつじんテスト」は、子どもを順序づけて進路指導の材料にしたりすることは想定していないし、そのように使ってほしくない。ただし、本書では、「ことばのたつじん」「かんがえるたつじん」それぞれで、大問ごとの学年の平均正答率は記載している。難易度は問題ごとにばらつきがあるので、この問題は○年生なら正答率がこのくらい、ということはある程度有用な情報だと考えたからである。また、この2つのテスト、特に「ことばのたつじん」は、外国児童を指導する先生たちにも使っていただきたいと思っている。そのときに、この子どもの語彙力(語彙の広さ)や日常語の運用能力は日本語を母語とする小学○年生相当ということがわかることは、その子どもの指導の手立て(足場がけのしかた)を考えるうえで有益だと思う。

　ただ、総合得点や平均点だけを見て、この子の得点は学年平均より上だからOKとか、学年平均より下だから問題あり、というような見方はしないでほしい。

　問題ごとの詳しい採点基準は、両テストを学校に送付するときに同封する。

もうひとつの願い

　2つの「たつじんテスト」には、もうひとつの願いが込められている。指導者の方々に、このテストを通じて、日常生活で当たり前に使われていることばや数の概念がいかに抽象的で、深いものであるか、それを学ぶためにはいかに複雑な思考と認知の過程が必要かということに気づいていただきたい。大人にとっては当たり前のことばや数の概念は、実は非常に抽象的であり、その抽象概念を扱う世界に踏み出したばかりの子どもたちが

混乱したり、困難を覚えたりするのはごく自然なことなのである。この調査で「こんなこともできないのか」と思うのではなく、**子どもたちが学ばなければならないことばや数の概念はこんなに抽象的で難しいものなのか、と思ってほしい。**そして、指導者の方々にはその気づきをもって子どもたちを導いてほしいと願っている。

　以下は、広島県下の学校で調査を実施したときの、教員の方々からの感想である。

- 「学びの基盤に関する調査」(広島県では「たつじんテスト」をこう呼んでいる)が従来の教科テストや標準学力調査とはまったく質の異なるものであることを理解することができました。
- 子どものつまずきがどこにあるのか?　問題ができない原因を探るためのものであり、子どもを理解し、指導に役立てるために活用していきたいと思います。さまざまな課題をかかえた児童が多い中、一斉指導でどのような手立てや支援が必要で有効であるのか、足場がけの方法を研究していきたいです。
- 調査により、数への直感や語彙の広さなど、どんなことにつまずいているか把握できるので有効であると思います。実施後の足場がけをしっかりすること、そもそも日常から足場がけの意識をもっていることが大切であり、授業改善の視点としていきます。
- これまでは自分の知識や経験から、子どものつまずきにどのように対応するかを考えていましたが、より客観的な分析ができる方法があることがわかりました。子どもたちのつまずきを分析し、今後の学力向上に結びつけていけるよう取り組んでいきたいと思います。

　2つの「たつじんテスト」を実施した学校の先生たちは、上記の開発チームの意図、願いをテストからくみとってくれたことがうかがえた。

第**2**章

誤答から見える算数学力

　第1章では「学力」とは何かを著者たちなりに定義し、その基盤となるスキーマと認知機能にどんなものがあるかについて仮説を述べたが、認知科学の概念の説明だったので、具体的なイメージがもちにくかったかもしれない。そこで、本章では小学3, 4, 5年生が算数の文章題にどのように解答していて、不正解の場合に、それがどのようなスキーマや認知能力に起因しているのかを、具体的な実例とデータで報告しながら、「算数学力」について再度考察していく。

2-1　算数文章題テスト

　前述のように、算数文章題テストは、2020年10月に福山市の3つの小学校で3, 4, 5年生を対象に実施された。調査参加人数は、3年生167人、4年生148人、5年生173人だった。3, 4年生には、1年生の教科書から1問、残りは3年生の教科書の単元から典型的で基本的な問題を7問出題した。5年生には、3, 4年生用調査で使った問題を4問と、5年生で学習した単元の、やはり基本的な問題を4問作り、解いてもらった。文章題は、福山市教育委員会指導主事のAさんに作問していただいた。

　子どもが取り組んだ文章題は**表 2-1**(3, 4年生用問題)と**表 2-2**(5年生専用問題)にまとめた。問題1, 4, 5, 6は5年生も取り組んだ。5年生はこの4問の他に、**表 2-2**の5年生の教科書からの問題も解いた。

　まず、1年生と3年生の教科書からとった3, 4年生用の問題を3, 4, 5年

表2-1　3, 4年生用の文章題

	問題名	問題文
問題1	列の並び順問題 （順番）	子どもが14人、1れつにならんでいます。ことねさんの前に7人います。ことねさんの後ろには、何人いますか。
問題2	必要ケーキ数問題 （かけ算）	ケーキを4こずつ入れたはこを、1人に2はこずつ3人にくばります。ケーキは、全部で何こいりますか。
問題3	遊園地への所要時間問題 （時間の引き算1）	けんさんは、午前9時20分に家を出て、午前10時40分に遊園地へ着きました。家から遊園地まで、何時間何分かかりましたか。
問題4	山下りの所要時間問題 （時間の引き算2）	えりさんは、山道を5時間10分歩きました。山をのぼるのに歩いた時間は、2時間50分です。山をくだるのに歩いた時間は、何時間何分ですか。
問題5	必要画用紙数問題 （割り算）	1まいの画用紙から、カードが8まい作れます。45まいのカードを作るには、画用紙は何まいいりますか。
問題6	ジュースの元の量問題（分数）	りんさんが、ジュースを $\frac{3}{7}$ L（リットル）のんだので、残りは $\frac{2}{7}$ L（リットル）になりました。はじめにジュースは、何L（リットル）ありましたか。
問題7	リボンの切り取り量問題（小数）	リボンが4mありました。けんたさんが、何mか切り取ったので、リボンは1.7mになりました。けんたさんは、何m切り取りましたか。
問題8	テープの長さ問題 （倍率）	なおきさんのテープの長さは、えりさんのテープの長さの4倍で、48cmです。えりさんのテープの長さは何cmですか。

表2-2　5年生専用の文章題（3, 4年生用と共通しない問題）

	問題名	問題文
問題5-4	学校までの距離問題 （距離の計算）	えみさんの家から学校までの距離は3.6kmで、あきらさんの家から学校までの距離より $\frac{3}{5}$ km遠いそうです。あきらさんの家から学校までは、何kmですか。
問題5-5	10年前の児童数問題（倍率・割り戻し）	こうたさんの学校の今年の児童数は476人で、10年前の200%に当たります。10年前の児童数は何人ですか。
問題5-6	電車の距離問題 （速さと距離の計算）	2時間で108km走る電車があります。この電車は、3時間で何km進みますか。
問題5-8	お菓子の量問題 （倍率・増量）	250g入りのお菓子が、30%増量して売られるそうです。お菓子の量は、何gになりますか。

表 2-3 　3, 4 年生用の文章題の学年別正答率

	問題 1 順番	問題 2 かけ算	問題 3 時間の引き算 1	問題 4 時間の引き算 2	問題 5 割り算	問題 6 分数	問題 7 小数	問題 8 倍率
3 年生	28.1%	57.5%	56.0%	17.7%	41.1%	84.4%	48.2%	45.0%
4 年生	53.4%	72.5%	63.4%	26.0%	48.9%	87.0%	63.4%	62.6%
5 年生	72.3%	—	—	53.9%	59.6%	87.2%	—	—

5 年生は問題 2, 3, 7, 8 は解答せず、5 年生用の問題に取り組んだ。

生がどのくらいできたのかを報告しよう（**表 2-3**）。全体的に正答率はあまり芳しくない。問題 1 は 1 年生の教科書からとった問題なので、本来小学 1 年生が解けるはずである。しかし、3 年生の正答率は 30% を切っている。4 年生でも半分程度しか正答できていない。5 年生でも $\frac{1}{4}$ 以上の子どもが間違えているのである。問題 6 はもっとも正答率が高く、どの学年でも 80% 以上正解している。しかし、その他の問題は、3 年生も 4 年生も出来がよくなかった。5 年生でもほとんどの子どもができるというようにはなっていない。

2-2 　3, 4 年生用問題の誤答タイプ

意味を考えずに問題文の数字を使って立式する

まず 1 年生の教科書にある問題 1「列の並び順問題」から見ていこう。1 年生用の問題の 3, 4, 5 年生の正答率は衝撃的に低い。

以下に子どもの誤答例を 3 つ示す。1 番目の誤答タイプは、問題文を読まず（あるいは読むことができず）、問題文にある数字に、思いついた演算を機械的に適用していくという方略で起こっている。この場合、そのときに学習していた単元で使う演算を使うことが多い。計算自体は合っていて、繰り上がりもきちんとできていることは注目すべきポイントである。この問題でこの間違いをした子どもは 3 年生で 3%、4 年生、5 年生とも 6%

だった。つまり、学年が上がると、このような方略をとる子どもが減るのではなく、むしろ微増ではあるが、増える傾向にある。これは他の問題でも繰り返し現れる誤答タイプなので、その原因については2–4節で考察する。

● 「列の並び順問題」の誤答例１：問題文にある数字に、思いついた演算を機械的に適用する。

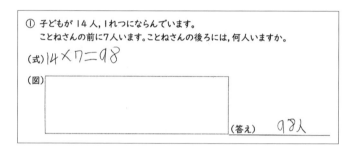

このタイプの誤答は、通常、読解力の問題とされる。問題の文章が読み取れていないことは確かなので、その通りなのだが、その根底には、上記のように、**文の意味を深く考えず、問題文にある数字を全部使って式を立て、計算をして何でもよいから答えを出そうという文章題解決に対する考え方を子どもがもっている可能性が高い。**

問題文の状況のイメージを式にできない

２番目の誤答タイプは、図は正しく描けているので、○の数を数えれば６人という正解になるのに、式が誤っているというものである。この誤答タイプの子どもたちは、文章で書かれていることを理解し、イメージはできるものの、そのイメージを式にすることができていない。大きな原因は、**式にするときに、文章で与えられている数字を使わなければならないという思い込み、つまり文章題解答のための誤ったスキーマをもっていること**

である。前にも「船長の齢は何歳ですか？」という問いに、子どもたちは文章で与えられた動物の数を足し合わせて9歳という答えを出しておかしいとも思わなかったというエピソードを紹介したが、それと同じスキーマがここでも働いていることがわかる。

◉「列の並び順問題」の誤答例2：問題文の状況をイメージできるが、そのイメージを式にできない。

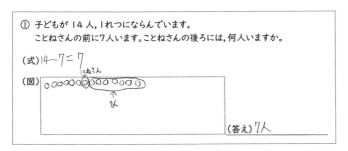

もうひとつ、この誤答をする子どもたちに足りないのは、メタ認知能力である。式から導いた答えがあっているかどうか、図と照合したら図の中の子どもの数と答えが一致しないことに気づくはずである。また、せっかく図を描いたのに、式との整合性を見ないというのは、何のために図を描いたのか、そもそも図を描く意味を理解していないことも原因となっている。このタイプの誤答をした子どもの割合は、3年生で32％、4年生で16％、5年生で6％であり、3年生では$\frac{1}{3}$がこのような問題を抱えているが、学年が上がると少なくなっていくようである。

そもそも問題文の状況をイメージできない

3番目の誤答タイプは、式だけ見ると2番目の誤答タイプと同じと思ってしまう。しかし、この解答を書いた子どもは、2番目のタイプの誤答をした子どもより、問題の根が少し深い。こちらの子どもは、文章を正しく

イメージすることができていない。「全部で 14 人の子どもがいる」という情報に注目できず、ことねさんを中心に、前にも 7 人、後ろにも 7 人の子どもを描いていて、ことねさんを含めると子どもが 15 人になってしまうことに気がついていない。メタ認知が働いていないという問題は 2 番目の誤答をした子どもと同じだが、こちらの子どものほうが読解力の課題はより深刻である。このタイプの誤答は 3 年生で 19%、4 年生で 10%、5 年生で 12% 見られた。**5 年生でも 10% 以上の子どもが、小学 1 年生用の文章題からイメージを作れず、問題文を読解できない。**このことも、注目すべきである。

● 「列の並び順問題」の誤答例 3：問題文の状況を正しくイメージできない。

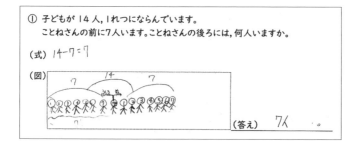

① 子どもが 14 人, 1 れつにならんでいます。
　ことねさんの前に 7 人います。ことねさんの後ろには, 何人いますか。

(式) 14-7=7

(図)

(答え) 7 人

問題文から何を求められているかイメージを作れないという問題は、問題 2「必要ケーキ数問題」でも顕著に見られた。3 年生の正答率は 58%、4 年生は 73% だった（5 年生にはこの問題は出題していない）。多かった誤答例を 2 つあげる。

◉「必要ケーキ数問題」の誤答例１：問題文にある最初の２つの数字だけを見て、問題文を勝手に読み替える。

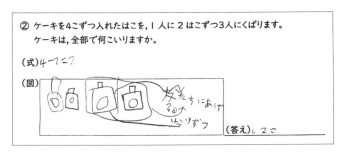

◉「必要ケーキ数問題」の誤答例２：問題文にある数字の一部だけを使い、（ここでは不適切な）かけ算を適用する。

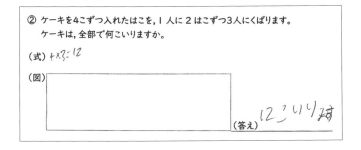

　どちらの誤答例も、文章の読み取りができず、問題文の状況のメンタルイメージが作れていない。この問題は、数字が３つあり、まず、１人が何個のケーキをもらえるのかを計算し（4×2）、それが３人分必要なので、さらに３をかける。つまり $4×2×3＝24$ 個が答えである。１番目の誤答例では、問題文にある最初の数字４と２を見て、「ケーキが４個あって、２個配ったら何個残ったか」という読み取りをしたのではないかと思われる。同じ誤答は３年生、４年生とも 11% に見られた。他の問題でも、**問題文をきちんと読まずに、勝手に自分で問題文を読み替え、簡単な計算をして**

とりあえず答えを出すという方略が見られたが、この解答もその方略を使っているのではないかと思われる。

マルチステップの負荷を回避する

「必要ケーキ数問題」の2番目の誤答例も、問題文にある数字の一部だけを使ってかけ算をしている。算数の時間にはかけ算がもっとも頻繁に使われる演算だったのでとにかくかけ算にしたが、3つの数字は扱えないので、「ケーキを1人に4個、3人に配ったら全部で何個いるか」という問題に自分で作り変えたのではないかと推測される。3年生で26%が、4年生では11%の子どもがこの間違いをした。

このような誤答は、問題1と同様、読解力の問題かといえばたしかにそうである。しかし、これも「読解力がない」で済ませてしまっては、子どものつまずきに対する理解が深まらない。このような読解をする背後には、第1章で述べた認知機能のうち、**作業記憶と実行機能をうまく働かせられていない**ことが疑われる。まず、1人分が4×2で8個、それを3人分だから8×3で24個のケーキが必要、という答えを導くのに問題を2つのステップに分け、2回のかけ算をするのだが、そのマルチステップを踏むためには、答えを出すための全体の工程をつかみ、最初のステップの計算をしながら次のステップのことも忘れないことが必要だ。しかし、その必要工程を作業記憶で覚えておきながら、2つの計算を順次行うというのはかなりの認知的な負荷がかかる。その負荷を回避しようとして、文章の一部分しか式にしていない可能性が高い。

しかし、**もっと根本的な問題は、子どもたちが、算数の文章題を、自分にとって解く意味があることだとは思っていないので、数字を使って思いつく演算をし、答えが出せればよいと思っているということ、つまり、算数の問題、特に文章題に対してもっている認識**なのではないかと思う。答えが出れば何でもよいから、問題をしっかり読んで考えることをしない。これこそが算数の文章題を解決できないもっとも大きな障害なのではない

だろうか。

割り算と引き算の混同

　文章の意味を考えずに答えを出すという方略・態度は、問題8「テープの長さ問題」の誤答にも顕著に見られた。学年別正答率は3年生45%、4年生が63%であった。これは子どもたちが苦手とする分数の問題である。典型的な誤答を2つ示す。

● 「テープの長さ問題」の誤答例1：割り算のかわりに、引き算を使う。

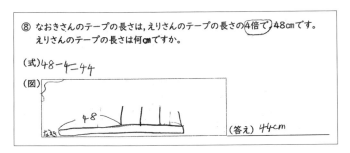

● 「テープの長さ問題」の誤答例2：割り算のかわりに、かけ算を使う。

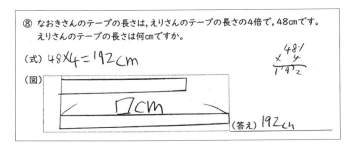

　どちらの誤答も、これまで紹介した別の問題の誤答と同様、問題文にある数に思いつく演算を適用して答えを出している。実は、割り算のかわり

に引き算を使ってしまうというのは、子どもによくある間違いである。**引き算も割り算もどちらも「数を小さくする」という(誤った)スキーマを多くの子どもはもっている。そのスキーマのために、割り算と引き算を混同してしまうのである。**

割り算とかけ算の混同

「テープの長さ問題」の2番目の誤答例では、割り算のかわりにかけ算をしてしまっている。この文章では「4倍」という表現があり、「倍」ということばを見るとかけ算、という方略をもっている子どもも少なからずいる。ここでも、48×4という計算自体は合っていることに注目すべきである。**かけ算ができるということは、計算ができることではなく、いつかけ算を使うのかがわかること、かけ算が足し算や割り算とどう違うのかを理解し、問題に応じて使い分けができることなのである。**

常識を使って、書かれていない数字を自分で考えることができない

文章題の意味を考えない、文章にある数字をやみくもに使い、文章にない数は答えに書けないという多くの小学生の問題は、問題5「必要画用紙数問題」の解答にも見てとれる。この問題も、正答率は低く、3年生で41%、4年生で49%、5年生でも60%の子どもしか正答していない。45÷8では余りが出てしまう。この文章に書かれていない余りをどうするかを、「画用紙5枚では40枚のカードしか作れない、だからもう1枚余分に画用紙が必要だ」と常識を使って考えることができないのである。このタイプの間違いは、3年生の23%、4年生の21%、5年生の14%に見られた。ちなみに、別の典型的な間違いは、他の問題と同様、とにかく問題文の数字に思いつく演算を適用してしまうタイプのものである。このタイプの誤答は3年生の25%、4年生の21%、5年生の15%に見られた。

● 「必要画用紙数問題」の誤答例１：割り算の余りをどうするかについて
常識が使えない。

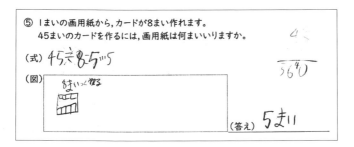

● 「必要画用紙数問題」の誤答例２：問題文の数字に、思いつく演算を適
用する。

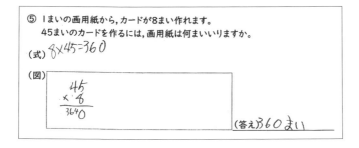

時間の単位変換が不確か

　3, 4年生用の８問の文章題の中で、もっとも正答率が低かったのは、問題４「山下りの所要時間問題」である。学年別正答率は３年生が18%、４年生で26%、５年生でも54% である。この問題は小学生たちになぜこれほど難しいのだろうか？　子どもたちの誤答から分析していこう。

　まず、これまでと同様、問題文が読み取れず、式にできない子どもたちがいる。このような誤答をする子どもは、他の問題と同様、問われていることを求めるための立式ができていない。問題文が読み取れていない可能

性が高い。次の誤答をした子どもは、時間と分に分け、それぞれ別に足し合わせて計算している。特にこの子どもは、この計算方法では分のほうが60分になるので、答えは8時間とすべきなのだが、7時間60分と書いて見直さず、そのままである。

● 「山下りの所要時間問題」の誤答例1：問題文が読み取れず、正しい式にできない。

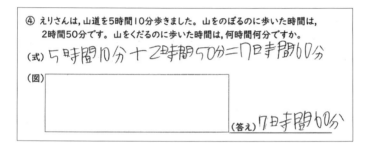

● 「山下りの所要時間問題」の誤答例2：時間の単位変換が正しくできない。

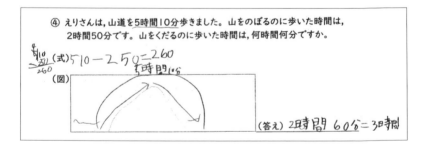

●「山下りの所要時間問題」の誤答例3：最後の答えで単位変換を間違える。

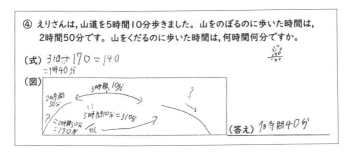

「510 − 250 ＝ 260」という解答を書いた子どもは、明らかに時間の単位が
わかっていない。5時間10分をそのまま510にしてしまっていることか
ら、1時間は100分と思っているようである。しかし、答えに注目すると、
260分を2時間60分として、だから3時間と書いている。つまり、1時間
は60分ということを知らないわけではなく、ここでは使えている。その
次の誤答では、5時間10分、2時間50分をきちんと分に変換できている。
しかし、せっかく310 − 170 ＝ 140分と正しく計算できたのに、答えを書く
ときに1時間40分と書いてしまっている。

　このように、時間の単位変換ができず、誤答をしてしまう子どもが3年
生で13％、4年生で16％、5年生で18％いた。この誤答タイプは学年が
上がっても減らず、かえって微増していることに注目すべきである。

　第1章で、あることを「知っている」ことと「使って問題解決ができ
る」ことは別のことだと述べた。ここでの子どものこのような間違いは、
知識の性質についてもうひとつ大事なことを教えてくれる。「生きた知識」
と「死んだ知識」はあるところを境界にして、スパッと分かれるわけでは
なく、連続的につながるものなのである。「5時間10分は、何分？」と聞
き、「310分！」と答えられると、大人は安心して、「時間の単位変換は
OKね」と思ってしまう。しかし、「1時間は60分」と頭で知っている状
態から、その知識を使う経験を重ねて、自然とその変換が身体の一部にな

る状態にまでなっていないと、思わず140分を「1時間40分」と書いてしまう。言い換えればこのような誤答をする子どもたちは、1時間は60分だということを「知って」はいるのだが、時間の単位を使って問題を解決する練習が足りていないので、知識が問題解決にすぐに使える状態になっていないのである。

　また、この誤答には、メタ認知の未熟さも反映されている。ちょっと見直して自分の正解をチェックすれば正答できる知識はもっているのに、答えを振り返って見直すことをせず、とりあえず答えが出たらそれを書き、そこで終わってしまう。自分の出した答えがヘンでないか振り返ることはしない。その背後には、前述のように、算数の文章題に対する認識も深く関係しているはずだ。

繰り下がりを回避する

　下の誤答をした子どもは、分単位に変換する必要があることを考えることができていないし、60進法もきちんと理解できていないと思われる。

● 「山下りの所要時間問題」の誤答例4：「10−50」の繰り下がりを避けて勝手に計算を変えてしまう。

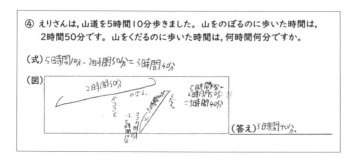

文章の意味を考えず、やみくもに計算をして答えを出そうという方略は、

この誤答にもっとも顕著に表れている。この解答をした子どもは、時間の
ほうは 5−2 で 3 時間を出し、分のほうは、なんと、10−50 ができないか
ら 50−10 にしてしまっている。おそらく、この方略は時間の問題に限ら
ず、繰り下がりがある引き算全般に取っていると思われる。

　実際、計算に繰り下がりが必要になると、繰り下がりをしなくてよいよ
うに引く数と引かれる数の入れ替えをしてしまうなど勝手に計算を変えて
しまうというのは、問題 7 の「リボンの切り取り量問題」への解答でも見
られた。次の解答を書いた子どもは、式は正しいが、計算ができていない。
小数の概念と計算のしかたも理解できていないので、整数部分だけ 4−
1＝3 という計算をして、0.7 を足している。この種の誤答の根っこにある
のは単に計算ができないということではない可能性が高いので、注意が必
要である。そもそも「数」という概念に対しての認識ができていない可能
性が高く、例えば 17 と 71 はまったく別の数であるということを理解でき
ていないのかもしれない。このタイプの誤答はこの子どもだけではなく、
3 年生、4 年生とも 5% の子どもに見られた。

◉「リボンの切り取り量問題」の誤答例：式は正しいが計算ができない。

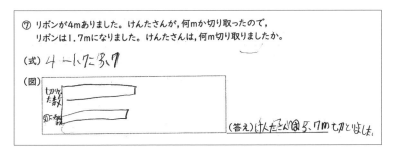

2–3　5 年生用問題の誤答タイプ

　5 年生になると、割合、距離、速さなど、難しい単元が入ってきて、授

表2-2（再掲） 5年生専用の文章題

	問題名	問題文
問題5-4	学校までの距離問題 （距離の計算）	えみさんの家から学校までの距離は 3.6 km で、あきらさんの家から学校までの距離より $\frac{3}{5}$ km 遠いそうです。あきらさんの家から学校までは、何 km ですか。
問題5-5	10年前の児童数問題（倍率・割り戻し）	こうたさんの学校の今年の児童数は476人で、10年前の200％に当たります。10年前の児童数は何人ですか。
問題5-6	電車の距離問題 （速さと距離の計算）	2時間で108 km 走る電車があります。この電車は、3時間で何 km 進みますか。
問題5-8	お菓子の量問題 （倍率・増量）	250 g 入りのお菓子が、30％ 増量して売られるそうです。お菓子の量は、何 g になりますか。

表2-4 5年生専用の文章題の正答率

	問題5-4 距離の計算	問題5-5 倍率・ 割り戻し	問題5-6 速さと距離 の計算	問題5-8 倍率・増量
5年生	17.7%	55.3%	66.7%	37.6%

業についていくのが難しい子どもがますます増える。5年生用の文章題の半分は、5年生の教科書の単元からとった。こちらも、教科書の問題を、固有名詞や状況を少し変えた程度でほぼそのまま使った。再度、問題（**表2-2**）をここで提示し、**表2-4** に正答率を示す。やはり、正答率は低い。特に問題5-4（距離の計算）と5-8（倍率・増量）は衝撃的に低い。以下では、問題5-4, 5-8 の子どもの誤答例を見ていこう。

立式に必要なイメージを作れない

3, 4年生用問題で見てきた通り、立式するためのイメージを文章から作れない誤答が目立った。以下の誤答はその例である。

● 「学校までの距離問題」の誤答例 1：状況のイメージを作れない。

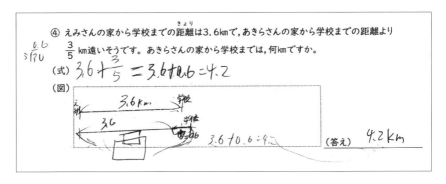

数についてのスキーマが脆弱

　次の誤答は、文章から式が立てられないということだけでなく、子ども
の数の概念に対する根本的な理解の欠如を露呈している。

● 「学校までの距離問題」の誤答例 2：小数、分数の概念を理解しておら
　ず、式も勝手に変えてしまう。

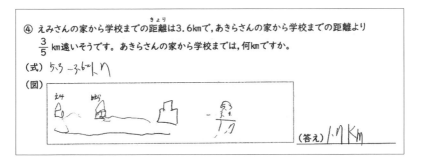

　$\frac{3}{5}$ km を 5.3 に自分で直してしまって、3.6 より大きいので、5.3 を引か
れる数にして 5.3 − 3.6 という式を立てたのだろう。前述の 3, 4 年生用の問
題 4「山下りの所要時間問題」で、時間のほうは 5 − 2 で 3 時間を出し、

分のほうは、10−50ができないから50−10に替えるという方略をとる子どもがいた。繰り下がりが必要で計算がしにくいと、数字の順番を替えてしまうという方略は、5年生になってもなくならないのである。この問題でも、3.6を $\frac{3}{6}$ や $\frac{6}{3}$ に替えたり、$\frac{3}{5}$ を3.5や5.3に替えたりしてしまう子どもが5年生全体の15%に見られた。この方略からは、問題を解くための前提となる<u>単位の理解をしていないと同時に、数についてのスキーマが非常に脆弱であり、そのため、自分の都合によって数を恣意的に替えることまでしてしまう</u>ことが垣間見られる。このことは、第4章の「かんがえるたつじん」の結果でさらに考察していく。

問題文にない数字を補って推論できない

問題5-8「お菓子の量問題」では、他の問題と同様、問題文の意味が理解できていない子どもが多い。そもそも「増量」ということばの意味を理解できていないことが疑われる。文章題で与えられた数字をそのまま使わなければならないというバイアスが強いため、増量とは、普段より(サービスで)多くすることなので、30%の増量ということは、普段の0.3倍ではなく、1.3倍なのだ、という常識を使った推論ができないのである。

● 「お菓子の量問題」の誤答例1：1.3ではなく0.3をかけ、減らないように1桁増やす。

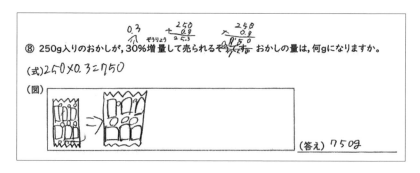

◉「お菓子の量問題」の誤答例2：0.3 をかけると「減ってしまう」ので、0.3 で割る。

⑧ 250g入りのおかしが，30%増量して売られるそうです。おかしの量は，何gになりますか。

（式）250÷0.3＝800

（図）
ふつうならかけただけどかけにしてしまうとぎゃくに減ってしまうので（0.3だから）÷にしてふやす。

（答え）800g

　1番目の誤答例では、30% というのは 0.3 であることはわかり、問題文にある 250 と 0.3 をかけている。「増量」が増やすことだ、ということは理解した。しかし、それではお菓子の量は、増えずに減ってしまう。減ってしまうのはおかしい、というメタ認知は働いている。だから1桁増やして元の量の3倍にしてしまったのである。

　2番目の解答を書いた子どもは、減るのはダメとわかるだけのメタ認知は働いている。0.3 で割ると元の数よりも大きくなることもわかっている。元の量より多くするためにほんとうはかけ算をすべきところを（それもわかっている！）、割り算にした、という理屈である。子どもなりにいろいろ理屈を考えているのだが、30% 増量ということは、元の量の 1.3 倍のことだ、ということはどうしても思いつかなかったのである。

　これまでの例でも見られたように、**子どもは、文章中の数字を自分の計算のしやすさのために勝手に替えてしまう一方で、文章に書かれていない数字を常識で補って推論することがとても苦手**なのである。問題1「列の並び順問題」はまさにそれができずに5年生でも3割が1年生の教科書の問題を解けない事態になっている。結局、**「読解力」で大事なのは、文章で使われていることばの意味をきちんと理解し、自分の知識**（常識を含む）**で「行間を補う」**ということなのだが、多くの子どもたちが、それができ

ないというのが実態なのである。

2-4　誤答分析のまとめ

　ここまで、算数文章題に取り組む子どもたちは、何がわかっていないのか、何で間違えるのかということを問題ごとに考えてきた。ここで簡単にまとめよう。

　まず、**問題を解くために前提となる数についてのスキーマが誤っている、あるいは欠落している**。たとえば、小数や分数の概念がそもそも理解できていないことなどが顕著に見られた。これは、典型的な事例だけをもとに、0.1 や 0.5 が小数、$\frac{1}{2}$ が分数、というような理解をしているからではないだろうか。**小数を理解するためには、整数、分数、小数のそれぞれの関係性が理解されていなければならないのだが、それがまったく欠落している**ように思われる。数の概念の脆弱性は**単位変換が苦手**なことにも表れている。時間の単位などについても、秒・分・時間・日などの概念がつながっておらず、バラバラに覚えているだけで、「システム化された知識」になっていないのである。また、数の概念の脆弱性は繰り上がり、繰り下がりの概念のぐらつきにもつながっている。

　もうひとつ顕著なのは、文章の読み取りができず、文章で描かれている状況のイメージが作れないという点である。これは非常に多くの子どもに見られた。『AI vs. 教科書が読めない子どもたち』で新井紀子が指摘している通りなのだが[1]、単に「読解力がない」で片づけられるものではなく、前提になる知識の欠落や、算数の問題を解くという活動の意味・意義が認識できないということが背後にあるように思われる。この子どもたちが、国語で文学作品などを学ぶとき、文章の理解がこれほどできないことはないと考えられるからである。

　しかしなんといっても、**「読解ができない」ことの最大の原因は推論能力が足りないこと**である。算数文章題の誤答では、文章に書かれていない

数字を推論によって自分で考えだすことが困難であることが顕著に見られた。「列の並び順問題」(問題1)もそうだが、画用紙の余りを考慮して、割り算の答え(商)より1枚多くの画用紙が必要だと考えたり(問題5)、「30%増量」ということばから、元の量にかけなくてはならない数は0.3ではなく1.3だと考えたり(問題5-8)するような推論ができない子どもたちが多い。読解力にしても、算数の問題解決にしても、「推論の力」はカギになる。**文章題を解くことの困難は、文章に書かれていないことを自分のスキーマで補って推論する力が足りないためである可能性が非常に高い。**

　繰り上がりや繰り下がりを回避して計算問題を解こうとするために文章中の数字を変えてしまったり、順番を入れ替えたり、本来かけ算を使うべきとわかっていながら割り算にしてしまったり、計算のしやすさを優先して、文章の意味を無視したり、5時間10分－2時間50分で、10分－50分ができなくなるため、(5時間－2時間)＋(50分－10分)と分の部分だけ順序を変えてしまったりする態度にそれは顕著に表れている。子どもたちにとって算数の文章題は、とにかく答えを出せばそれでよいというものになってしまっているようである。

　足し算、引き算、かけ算、割り算の計算のしかたは知っていても、その意味が理解できていない。それぞれの単元で、計算のしかたに主軸が置かれ、その意味を問うことが十分になされていないことが原因だと思われる。そもそも、**それぞれの演算の意味を理解するためには、演算の間の関係性を理解することが欠かせない。子どもが「てきとう」に文章中の数を使って思いつく演算を適用してしまうのは、演算間の関係性が理解できていないことに起因する可能性が非常に高い。**

　この調査から多くの子どもたちが、四則演算について、**足し算とかけ算は数を大きくする、引き算と割り算は数小さくする、という誤ったスキーマ**をもっていることが見てとれた。このスキーマのため、数が小さくならなければならないはずだから、ほんとうはかけ算をすべきだとわかっていても、割り算をしたり、割り算のかわりに引き算にしたりしてしまうの

である。

　ここまで述べてきたことは、主に**誤ったスキーマと推論能力の弱さ**に関するものであるが、第1章で述べた作業記憶や実行機能などの**認知機能もここに加わって、複合的に誤答を作り出している**ことは強調しておくべきである。たとえば、問題2の「必要ケーキ数問題」などのように、2つ以上のステップを踏んで答えを出さなければならない問題では、設問中の情報量が多くなるので、マルチステップのどの段階でどの情報に注目するかという判断が必要になる。つまり注意をどこに向けるかという実行機能の負荷が高いのに加え、全体の計算の工程を短期記憶に保持しつつ、パラレルに最初の計算を行い、その結果を使いながら次のステップの計算をしなければならなくなる。

　概念理解が脆弱だと、簡単な計算のときには答えることができても、文章題になって実行機能や作業記憶の負荷が高くなると、誤ったスキーマが顔を出すのである。時間の計算で、「2時間50分は何分？」という単純な問いだと60進法を適用して正解できるのに、文章題に組み込まれ、文章中の他の情報にも目配りしなければならないと、2時間50分が250分になってしまうということが子どもの解答に頻繁に見られた。原因の一端は、文章題を解くときの認知的な負荷と考えられる。

　これらの誤答には、メタ認知・批判的思考の未熟さも反映されている。ちょっと見直して自分の解答をチェックすれば正答できる知識はもっているのに、答えを振り返って見直すことをせず、とりあえず答えが出たらそれを書き、そこで終わってしまう。これはメタ認知・批判的思考の問題であるが、その背後には、**算数の文章題に対する子どもたちの認識の問題も大きい**。算数の文章題は意味があって、それを考えることに意義があるということを子どもたちは理解できておらず、問題にある数字を知っている式に入れてとにかく答えを出せばよいという態度で取り組んでいる。**テストの得点に一喜一憂しても、問題が解ける喜びをもっていない**。だから答えがヘンでないか、ほんとうにこれでよいのか、チェックすることをしな

いのである。

2–5　個人差

　ここまで、「子どもたちは」あるいは「3年生は」「5年生は」という表現で、あたかも3年生がみな同じ問題をできたり、できなかったり、誤ったスキーマをもっていたりしているという印象を与えてしまったかもしれない。しかし、同じ学年の子どもでも個人差はあるはずだ。どのくらいの個人差があるのだろうか？

　それを見るために、「ことばのたつじん」「かんがえるたつじん」のそれぞれの総合得点で子どもたちを $\frac{1}{3}$ ずつ上位・中位・下位の3階層に分け（本書における階層分けはすべて調査対象人数の3等分である）、それぞれの階層別に算数文章題の平均正答率を出した（**表2–5**）。8問合計の正答率で見ても、また問題ごとに見ても、正答率は異なるものの、どの問題においても、「ことばのたつじん」「かんがえるたつじん」の階層が文章題の正答率と連動していることは明らかである。

　「かんがえるたつじん」は大問①で数や量についてのスキーマについて測っているので当然ともいえるかもしれないが、「ことばのたつじん」の得点の階層でも鮮明に文章題の正答率を分けていることに特に注目すべきである。つまり、「ことばのたつじん」で測っていることばの力、「かんがえるたつじん」で測っている数・量についての直観的理解（スキーマ）、図形のイメージと心的操作能力、推論能力は、いずれも子どもの文章題を解く力と深く関わっていることがわかる。

　同時に、**各学年の中で、文章題の正答率に大きなばらつきがある**こともわかった。また、**上位層と下位層の開きは、3年生ですでに顕著に見られ、5年生になっても縮まっていない**こともわかった。4,5年生の下位層と3年生の上位層を比べた場合、ほとんどの問題で3年生上位層のほうが、4,5年生下位層よりも文章題の正答率が高いことも注目すべきである。

表 2-5 「ことばのたつじん」「かんがえるたつじん」得点階層別の算数文章題平均正答率

			全体平均	問題1 順番	問題2 かけ算	問題3 時間の引き算1	問題4 時間の引き算2	問題5 割り算	問題6 分数	問題7 小数	問題8 倍率
3年生	ことばのたつじん	上位	63.0%	43.8%	72.9%	66.7%	20.8%	64.6%	93.8%	60.4%	70.8%
		中位	48.0%	23.9%	56.5%	63.0%	23.9%	28.3%	80.4%	47.8%	43.5%
		下位	31.4%	15.7%	37.3%	33.3%	7.8%	25.5%	66.7%	29.4%	15.7%
	かんがえるたつじん	上位	63.4%	46.3%	68.3%	78.0%	26.8%	58.5%	87.8%	61.0%	68.3%
		中位	51.2%	26.9%	59.6%	63.5%	21.2%	44.2%	90.4%	51.9%	44.2%
		下位	30.7%	14.3%	44.9%	26.5%	4.1%	22.4%	73.5%	30.6%	24.5%
4年生	ことばのたつじん	上位	80.2%	81.0%	95.2%	71.4%	40.5%	81.0%	95.2%	78.6%	83.3%
		中位	60.8%	42.5%	70.0%	55.0%	27.5%	47.5%	80.0%	65.0%	62.5%
		下位	38.4%	31.8%	45.5%	50.0%	9.1%	13.6%	72.7%	34.1%	36.4%
	かんがえるたつじん	上位	79.5%	74.4%	93.0%	72.1%	44.2%	72.1%	90.7%	86.0%	88.4%
		中位	59.0%	51.1%	75.6%	53.3%	24.4%	42.2%	88.9%	55.6%	60.0%
		下位	41.2%	30.4%	43.5%	56.5%	8.7%	26.1%	73.9%	43.5%	32.6%

			全体平均	問題5-1 順番	問題5-2 時間の引き算2	問題5-3 割り算	問題5-4 距離の計算	問題5-5 倍率・割り戻し	問題5-6 速さと距離の計算	問題5-7 分数	問題5-8 倍率・増量
5年生	ことばのたつじん	上位	74.7%	93.2%	68.2%	86.4%	34.1%	61.4%	84.1%	95.5%	61.4%
		中位	55.5%	64.7%	45.1%	52.9%	13.7%	54.9%	62.7%	86.3%	37.3%
		下位	39.2%	46.9%	36.7%	32.7%	4.1%	38.8%	42.9%	65.3%	14.3%
	かんがえるたつじん	上位	70.9%	89.4%	66.0%	85.1%	29.8%	61.7%	76.6%	89.4%	57.4%
		中位	63.7%	74.5%	48.9%	55.3%	19.1%	59.6%	78.7%	87.2%	42.6%
		下位	37.3%	45.5%	38.2%	32.7%	3.6%	36.4%	38.2%	70.9%	10.9%

網掛けは 3〜5 年生に共通の問題

2-6　階層ごとの誤答タイプの分布

　2-2, 2-3 節で問題ごとに子どもたちの誤答のタイプや原因について質的に(ことばで)分析し、記述してきたが、子どもの誤答のしかたと、子どもの学力の基盤となる力に一定の関係があるのだろうか？　また誤答タイプの分布は学年が上がると変わるのだろうか？　これを俯瞰的に見るために、

表2-6 「ことばのたつじん」「かんがえるたつじん」合計得点階層別の誤答タイプの分布

		(ア)完全正答	(イ)計算ミス	(ウ)立式の失敗	(エ)メンタルイメージの失敗	(オ)無回答
3年生	上位	67.3%	5.9%	11.2%	10.1%	5.6%
	中位	41.5%	6.1%	16.5%	27.1%	8.8%
	下位	31.1%	6.9%	12.8%	35.9%	13.3%
4年生	上位	79.3%	3.4%	10.7%	3.7%	3.1%
	中位	57.3%	4.6%	14.6%	14.6%	8.8%
	下位	30.4%	8.5%	17.9%	31.3%	11.9%
5年生	上位	69.5%	3.5%	6.1%	12.5%	9.0%
	中位	52.8%	1.9%	11.1%	20.8%	14.9%
	下位	26.6%	2.3%	13.3%	32.0%	27.1%

「ことばのたつじん」「かんがえるたつじん」の合計得点を算出し、その得点によって学年ごとに子どもを $\frac{1}{3}$ ずつ上位・中位・下位の3階層に分けた。子どもたちの解答は(ア)完全正答、(イ)単純な計算ミス、(ウ)メンタルイメージはできているが、正しく立式できていない、(エ)メンタルイメージができていない、(オ)無回答、に分類した。それぞれの階層の子どもが8問の文章題で(ア)〜(オ)のどのタイプの解答をしたかで分類し、学年・階層別の誤答タイプの分布を算出した(**表2-6**)。

問題4を例にとると、以下のような分類がなされた。

(ア)完全正答

→5時間10分−2時間50分＝2時間20分

(イ)単純な計算ミス

→5時間10分−2時間50分＝2時間10分

(ウ)メンタルイメージはできているが、正しく立式できていない

→510−250＝260　2時間60分

(エ)メンタルイメージができていない

→5時間10分＋2時間50分＝7時間60分

(オ)無回答

5年生では上位、中位、下位層とも、4年生より完全正答率が低いが、これは、5年生が解いた8問中の4問は5年生用の問題だったことによる（4年生は1年生用の単元の1問と3年生用の単元の7問を解いている）。ここでは正答率ではなく、誤答のタイプの分布に注目してほしい。

　どの学年でも、学力の基盤能力（「ことばのたつじん」「かんがえるたつじん」の合計得点）が下位層の子どもは、文章で書かれている状況がイメージできず、そのため求められた答えを出すための式が考えられないという（エ）の誤答タイプが圧倒的に多いことが表から見てとれる。問題文の意味を考えずに文章中の数字をたまたま思いついた式に放り込んで答えを出し、その答えがヘンかどうかはまったく顧みないという態度が透けて見える。

　もうひとつ気になるのは無回答である。無回答は、どの学年でも下位層の子どもにのみ見られるパターンで、上位、中位層にはほとんど見られない。しかも、**無回答の割合は、5年生の下位層に突出して多い**。これはとても心配な傾向である。文章題を解くのは自分には無理、と思い、取り組まずに無回答のまま提出してしまう子どもが増えているのではないかと思われる。これは心理学では「**学習性無力感**」といわれるもので、自分ではどうしようもない状況に長年置かれることで、「自分はいくら努力してもこの状況を脱出できない」と思ってしまう状況を表す。学習に関していえば、学習者が、授業を聞いても理解できない、テストでは間違い続け、低い成績しかとれない、そういう状況を繰り返すことで、自分には勉強しても無理、と思ってしまう状況である。下位層の5年生がこの状況に陥っている可能性が見てとれる。これは絶対見過ごせない。なんとかしなければならない。

　算数文章題テストの成績（正答率）は学力のひとつの指標として採用したが、この指標を用いた「算数学力」と「ことばのたつじん」「かんがえるたつじん」の関係についてのより詳細な統計分析の結果は第5章で報告する。

第3章
「ことばのたつじん」による
言語力のアセスメント

3-1 テストの概要

　本章では、「ことばのたつじん」の詳細について述べていく。第1章1-5節で概観したことを少しおさらいすると、「ことばのたつじん」は①②③の3部に分かれている。

　①は、一般的な語彙知識を測るテストである。それに対して、②③はことばの運用力(ことばを的確に使う力)を測ることを主目的としている。

　②では「前・後・右・左」などの空間のことばと「2日前、5日後、1週間先」などの時間を表すことばを、状況によって柔軟にかつ的確に運用できているかを見ることを主眼にした。これらのことばは、非常に日常的なことばでありながら、意味が抽象的であり、システム化された「生きた知識」と、相対的な視点を文脈に応じて自由に変更できる「他者視点取得能力」と「実行機能」をもっていないと、文脈に合わせて的確に使用することができない。

　③は、②と同様に、日常的な動作を表す動詞について子どもたちがシステム化された「生きた知識」をもっているかを見るためにデザインした。動詞を的確に使うには、当該の概念を日本語がどのように分割しているかを理解している必要がある。また、活用の形、つまり文法の知識と統合されていることも必要である。さらに、このテストは選択問題ではなく、[　]の中にもっとも適切な動詞を活用させて書き入れるといった空欄補充形式であるため、表記の知識も必要とする。③では、小学2年生なら、

動詞を示せば「もちろん知ってる」と言うであろう日常的な動詞が、単語の意味の知識、文法の知識、表記の知識と統合されて「生きた知識」になっているかを測る。

3-2 「ことばのたつじん①」──語彙の深さと広さ

語彙項目の選定基準

「ことばのたつじん①②③」のうち、「ことばのたつじん②」は空間の関係性を表すことばと時間を表すことば、「ことばのたつじん③」は動きを表すことばというように、特定の概念の分野をターゲットにしているが、「ことばのたつじん①」は、特定の分野の語彙に限定せず、一般的な語彙に関する深い語彙知識をどれほどもっているかを見るためにデザインした。その意味で、①は語彙の深さとともに広さを測るものになっている。

　①は、ターゲットの単語の意味の説明、定義を問う「ことばのいみ」、ターゲットの単語にもっとも近い類義語を問う「にていることば」、単語の慣用的な使われ方や共起語を問う「あてはまることば」の3つの大問で構成されている。

　福山市第2回調査で用いた「ことばのたつじん」第2版では、「ことばのいみ」は30の小問からなるが、そのうち25問は3つの選択肢の中から1つの正解を選ぶ標準問題、5問はチャレンジ問題である。チャレンジ問題は、選択肢が4つで、そのうち2つが正解となっている。チャレンジ問題は、1つの定義に対して2つの単語を選ぶので、より深い語彙力を必要とする問題となっている。

● 「ことばのいみ」の標準問題の例

(4) べんきょうしたあと、 それを もういちど べんきょうする こと

　　1　よしゅう

　　2　ふくしゅう

　　3　れんしゅう

(25) ねんどなどを 力を 入れて よく まぜること

　　1　まぶす

　　2　たたく

　　3　こねる

● 「ことばのいみ」のチャレンジ問題の例

(27) きゅうでは ない ようす

　　1　ふと

　　2　すみやかな

　　3　のんびりした

　　4　ゆるやかな

(28) おゆが じゅうぶんに あつくなること

　　1　ほてる

　　2　ふっとうする

　　3　わく

　　4　こみあげる

「にていることば」も「ことばのいみ」と同様に、25問の標準問題と5問のチャレンジ問題から構成されている。標準問題は、「ことばのいみ」と同様に、3つの選択肢の中から1つの答えを選ぶ。チャレンジ問題では、4つの選択肢の中から2つの正解を選ぶよう指示される。

● 「にていることば」の標準問題の例

```
(15)  ひかくする ： もちものを　ひかくします。

1.  ならべます

2.  くらべます

3.  しらべます
```

```
(21)  もちぬし ： この家（いえ）の　もちぬしは　だれですか。

1.  しょゆうしゃ

2.  かみさま

3.  しゃちょう
```

● 「にていることば」のチャレンジ問題の例

```
(29)  まず ： まず　手（て）を　あらいましょう。

1.  後（あと）で

2.  先（さき）に

3.  はじめに

4.  いちどに
```

64

（30）　きごう：これは「とまれ！」の　きごうです。

1. マーク

2. かんばん

3. ケース

4. しるし

「あてはまることば」は慣用句、慣習的な比喩表現や共起語の知識を扱った。29 の標準問題と 5 つのチャレンジ問題を用意した。標準問題は、3つの選択肢のうち 1 つが正解、チャレンジ問題は、4 つの選択肢の中から2 つの正解を選ぶ形式とした。

● 「あてはまることば」の標準問題の例

（4）長い（　　　　　　　）で　見てください。

　1、目

　2、顔

　3、気分

（19）あつい（　　　　　　　）を　よせています。

　1、しんらい

　2、親切

　3、しんじつ

◉ 「あてはまることば」のチャレンジ問題の例

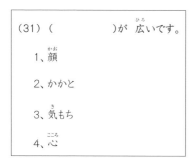

（31）（　　　　　　　　）が　広^{ひろ}いです。

1、顔^{かお}

2、かかと

3、気^きもち

4、心^{こころ}

「ことばのたつじん①」の項目は、中石・建石(2016)の語彙リスト「つまずきことば」を参考に選んだ[1]。具体的には、上記文献「外国につながる子どもたちのための語彙シラバス」と、工藤(1999)のリストを含む語彙リスト7種類[2]（児童生徒が学校生活や教科学習で必要とする語彙のリスト）とを比較し、「外国につながる子どもたちのための語彙シラバス」のリストにあり、かつ、7種の語彙リストに表れる頻度の多い語を用いることにした。

「ことばのいみ」「にていることば」「あてはまることば」の間で、ターゲットとする語、選択肢の語が重ならないように工夫し、共通して次の方針で作成した。

• ターゲット語の品詞が偏らないようにする。

• 指示文、選択肢にターゲットとする語が入っていないことを確認する。

• 漢字かな交じり文で、分かち書きにする。

• 2年生までに習う漢字のみを漢字表記にして、漢字にはすべて振り仮名を振る。

•（国語以外の）教科で指導する語彙もターゲットや選択肢の一部として使用する。

語の特徴として、語彙の使用頻度や抽象度についても目配りをした。こ

表 3-1 「ことばのいみ」問題 14 の学年別正答率

	問題文			
	選択肢 1	選択肢 2	選択肢 3	
問題 14	ある日から　そのあとの	ある日まで　何かが　つづくこと		
	きげん	きかん（正解）	しゅるい	無回答
2〜4 年生	30.6%	59.7%	6.0%	3.7%
2 年生	42.0%	40.7%	11.3%	6.9%
3 年生	26.0%	64.1%	5.3%	4.0%
4 年生	23.2%	74.8%	1.3%	0.7%

れに関しては、テストを開発する段階で、日本語教育学の分野で用いられている語彙難易度の判定ツールである「リーディング　チュウ太」[3]と「日本語テキスト語彙・漢字分析器 J-LEX」[4]を使って確認をしたが、結果を参考にするにとどめ、それ以上の統制は行わなかった。ただし、あまりにも文脈が限られている語、使用頻度が限られている語は、用いないようにした。

「ことばのいみ」の結果

　2, 3, 4 年生を通して結果を見てみると、全体的に正答率が高く、標準問題における平均正答率が 59.7% だった「きかん（期間）」を除いては、どの問題でも正答率は 70% を超えていたので、意味の説明から適切な語を選ぶ課題は、比較的容易であるようだ。

　その中で、「きかん」がターゲットになる問題は、3 学年を通しての平均が 60% を切っていた（表 3-1）。学年別に見てみると、低学年の子どもほど正答率が低く、特に 2 年生では「期限」を選択した子どもの割合が、正解の「期間」とほぼ変わらなかった。

　「期間」は抽象的な意味をもち、漢語、かつ時間に関することばなので難しかったようだ。また、「期限」も「期間」もどちらも一定の時間の幅を表すので、意味も近い。2 つの語は、時間のどこに焦点を当てるかが異

表 3-2 「ことばのいみ」問題 11 の学年別正答率

問題 11	つかうこと			
	よういする	はいふする	しようする(正解)	無回答
2 年生	45.3%	4.7%	43.3%	7.6%
3 年生	16.8%	0.0%	80.2%	2.7%
4 年生	6.6%	0.7%	91.4%	1.3%

なる。「期限」を選んだ子どもは、説明文の全体の意味を理解せず、「ある日まで」という「終わり」の部分にのみ着目して解答した可能性も考えられる。加えて、選択肢 1「きげん(期限)」と選択肢 2「きかん(期間)」は音が似ていることも混乱の原因であると考えられる。

　「つかうこと」という意味のことばを選ぶ問題では、3, 4 年生は高い正答率だったものの、2 年生の正答率は低く、フィラー(紛らわし)の選択肢「よういする」を選んだ子どもが多かった(表 3-2)。

　次の項で紹介する「にていることば」の「曲線」「出版」の問題も、3, 4 年生に比べて 2 年生の正答率の低さが顕著だった。漢字をあまり知らない 2 年生には、漢語語彙はとっつきにくく、理解しにくいということがわかる。

「にていることば」の結果

　2, 3, 4 年生を通して正答率が 70% 未満の標準問題は 9 問、なかでも 60% を切った問題は 6 問だった。表 3-3 に、正答率が低いものから順に示す。

　正答率が 70% 未満だったのは、問題文のターゲットがいずれも具体的に手に取ることができないような事象を表す抽象名詞で、「きょくせん」「しゅっぱん」など、漢語が多かった。正答率の低い品詞は、名詞以外にも、副詞(「ちょうど」「じっさい」)、動詞(「ひかくする」「わる」)、形容詞(「ひとしい」)、接続詞(「また」)が見られた。問題 15「ひかくする」も、正解の

表3-3 「にていることば」の正答率が低い標準問題(2～4年生)

問題12	ちょうど： ちょうど 10時です。			
	きっちり	うっかり	きっかり（正解）	無回答
	89.4%	3.7%	4.9%	2.0%
問題15	ひかくする： もちものを ひかくします。			
	ならべます	くらべます(正解)	しらべます	無回答
	22.4%	36.0%	35.7%	5.9%
問題14	わる： 水で わります。			
	ながします	きれいに します	うすく します（正解）	無回答
	32.5%	24.1%	36.7%	6.7%
問題19	きょくせん： そこの きょくせんを みてください。			
	きょくの がくふ	ながいせん	まがったせん(正解)	無回答
	24.3%	31.0%	39.9%	4.7%
問題8	ひとしい： 数字が ひとしいです。			
	同じ（正解）	大きい	近い	無回答
	57.1%	13.8%	22.7%	6.4%
問題16	また： 公園では 星が 見えました。また、わたしの 家からも 見えました。			
	それで	でも	それに（正解）	無回答
	20.9%	17.5%	58.4%	3.2%
問題22	しゅっぱん： 本を しゅっぱんします。			
	買うこと	出すこと（正解）	はじめること	無回答
	20.0%	65.0%	7.9%	7.1%
問題7	じっさい： じっさいの 大きさは どのくらいですか。			
	げんざい	ほんとう（正解）	じっこう	無回答
	22.4%	65.5%	7.4%	4.7%
問題23	正午： 正午 に チャイムがなります。			
	真昼（正解）	お昼休み	夜中の 12時	無回答
	67.7%	25.1%	4.9%	2.2%

表 3-4 「にていることば」問題 12 の学年別正答率

問題 12	ちょうど： ちょうど 10 時です。			
	きっちり	うっかり	きっかり（正解）	無回答
2 年生	83.3%	7.2%	5.8%	3.6%
3 年生	90.6%	3.4%	4.3%	1.7%
4 年生	94.0%	0.7%	4.6%	0.7%

「くらべる」と同じくらい、「しらべる」を選んだ児童が多かった。「くらべる」と「しらべる」の音がよく似ていること、同じような場面で使われる動詞であることが原因と考えられる。

　問題 14「水でわります」のような、「割る」の基本の語義とは異なる用法で、正答率が低かったことも注目すべきである。「割る」ということばは知っていても、「水で割る」という表現は、小学生の日常生活であまり使われるものではないためであると考えられるが、多義のことばの第一の意味(もっとも中心的な意味)以外の意味を覚えるのが困難ということもあるのかもしれない。

　「ちょうど」「正午」などのように時間を表すことばも正答率の低い問題のターゲットに含まれていた。とりわけ、問題 12「ちょうど」と似ている語を選ぶ問題では、正解の「きっかり」はほとんど選ばれず、「きっちり」を選んだ児童がきわめて多いという結果となった(表 3-4)。後に述べるように、小学生、特に低学年児童は時間に関する概念が弱いことが今回の調査で明らかになったが、それがここでも露呈されている。加えて、「10 時きっかり」のような表現は書籍、特に小説で用いられることが多く [5]、小学生は日常生活ではあまり聞かないこと、「きっかり」と「きっちり」は、音が類似しているため混同したのではないかと考えられる。

　問題 7 の「じっさい」は、3 学年を通しての平均正答率は 66% だったが、学年による正答率の違いが大きかった(表 3-5)。誤答としては、「げんざい」ということばを選ぶ傾向が目立った。ここでも、どちらの語も漢

表 3–5 「にていることば」問題 7 の学年別正答率

問題 7	じっさい： じっさいの 大_{おお}きさは どのくらいですか。			
	げんざい	ほんとう（正解）	じっこう	無回答
2 年生	27.5%	52.2%	9.4%	10.9%
3 年生	18.8%	69.2%	8.5%	3.4%
4 年生	20.5%	74.8%	4.6%	0.0%

語であることと、音が似ている（同じ韻を踏んでいる）ことが混同の原因となっているように思われる。

「あてはまることば」の結果

　3 学年を通しての正答率が 70% 未満の標準問題は 29 問中 20 問で、その中でも 60% を切った問題は 16 問だった。正答率からいえば、「あてはまることば」は「ことばのいみ」「にていることば」に比べて難しかったといえる。**表 3–6** に、正答率が低いものから順に示す。

　「鼻にかける」（問題 29）「大きい口をたたく」（問題 27）「大きい顔をする」（問題 26）「口が重い」（問題 1）など、多くの慣用句で正答率が低い（**表 3–7**）。「あてはまることば」の問題は、その慣用句を知っていれば正しく答えられるが、知らない場合は正答する手がかりがないので全体的に正答率が低くなったと考えられる。

　2 年生から 3 年生、4 年生になるにつれて正答率が徐々に高くなる問題もあった。問題 11 の「手間をかける」は 2 年生では正答率が約 56% だったが、3 年生では約 71%、4 年生では約 91% の子どもが正答していた（**表 3–8**）。「力」を選ぶ子どもは、4 年生になると顕著に少なくなった。「手間」と「力」はどちらも「かける」と共起するが、「力をかける」は、「料理がおいしくなる」というこの問題の文脈には合わないことが、4 年生ではわかるようになるようである。

　「あてはまることば」でも、音の類似による混同と思われる誤答が見ら

表3-6 「あてはまることば」の正答率が低い標準問題(2〜4年生)

問題29	太郎くんは　いつもテストで100点をとることを　（　）に　かけています。			
	手	目	鼻(正解)	無回答
	50.6%	38.1%	6.5%	4.8%
問題27	あの人は　いつも　大きい　（　）を　たたいています。			
	声	気もち	口(正解)	無回答
	36.0%	41.5%	17.0%	5.5%
問題26	いつも　友だちに　大きい　（　）を　しています。			
	頭	目	顔(正解)	無回答
	11.5%	53.2%	28.5%	6.7%
問題1	（　）が　重いです。			
	口(正解)	耳	指	無回答
	30.2%	13.4%	51.3%	5.0%
問題14	この本は　かたい（　）で　書かれています。			
	ことば(正解)	ひょうし	話	無回答
	35.0%	44.6%	17.0%	3.3%
問題28	すきなものが　同じ人とは　（　）が　合います。			
	牛	馬(正解)	さる	無回答
	21.1%	36.2%	32.6%	10.1%
問題15	（　）が　大きくなりました。			
	どきょう	元気	気(正解)	無回答
	43.2%	14.6%	37.4%	4.8%
問題25	だれにも　言わないように　（　）を　さしました。			
	くぎ(正解)	口	えだ	無回答
	38.4%	37.4%	18.7%	5.5%
問題24	おせわになった　先生には　今でも　（　）が　あがりません。			
	頭(正解)	かた	足	無回答
	39.6%	30.7%	22.5%	7.2%
問題6	（　）が　なります。			
	うで(正解)	むね	ひざ	無回答
	40.8%	40.3%	13.7%	5.2%

問題5	（　　）が　かるいです。			
	目	口（正解）	耳	無回答
	24.0%	46.0%	25.4%	4.6%

問題18	冬は　（　　）が　みじかいです。			
	日（正解）	星	時間	無回答
	46.5%	5.5%	45.8%	2.2%

問題4	長い（　　）で　見てください。			
	目（正解）	顔	気分	無回答
	49.9%	8.6%	37.9%	3.6%

問題2	（　　）が　みじかいです。			
	気分	きげん	気（正解）	無回答
	11.5%	34.5%	51.8%	2.2%

問題19	あつい（　　）を　よせています。			
	しんらい（正解）	親切	しんじつ	無回答
	57.1%	9.8%	26.9%	6.2%

問題13	（　　）を　長くして　まっています。			
	首（正解）	手	指	無回答
	59.0%	27.1%	10.6%	3.4%

問題10	あの人は　（　　）が　かたい。			
	目	心	頭（正解）	無回答
	3.4%	34.1%	60.2%	2.4%

問題21	あの人は　（　　）が　まがっています。			
	気もち	なみだ	せいかく（正解）	無回答
	26.6%	5.0%	65.0%	3.4%

問題3	あつい（　　）が　えがかれています。			
	楽しさ	ゆうじょう（正解）	よろこび	無回答
	13.2%	69.1%	16.1%	1.7%

問題16	（　　）が　ふかいです。			
	晴れ	雪（正解）	くもり	無回答
	7.4%	69.3%	18.9%	4.3%

表3–7 「あてはまることば」問題29の学年別正答率

問題29	太郎くんは いつもテストで 100 点をとることを （　）に かけています。			
	手	目	鼻（正解）	無回答
2年生	51.0%	34.2%	6.7%	8.0%
3年生	47.0%	47.8%	1.7%	3.4%
4年生	52.9%	34.4%	9.9%	2.6%

表3–8 「あてはまることば」問題11の学年別正答率

問題11	りょうりは （　）をかけると おいしくなります。			
	てま（正解）	ひま	力	無回答
2年生	56.3%	5.3%	30.2%	8.0%
3年生	70.9%	2.5%	24.7%	1.7%
4年生	91.3%	0.6%	7.2%	0.6%

表3–9 「あてはまることば」問題19の学年別正答率

問題19	あつい（　）を よせています。			
	しんらい（正解）	親切	しんじつ	無回答
2年生	29.5%	17.4%	42.2%	10.7%
3年生	65.8%	7.6%	21.3%	5.1%
4年生	77.4%	3.9%	15.8%	2.6%

れた。問題19の「あつい信頼」は、特に2年生で「しんじつ（真実）」を選ぶ誤答が多かった（表3–9）。2年生では「信頼」という漢語が難しく、「あついしんらい」という表現を聞いたことがあっても、はじめの2音節が同じ「しんじつ」と混同してしまったのだろう。

まとめ

「ことばのたつじん①」の結果で特筆するべき点を何点かあげよう。子どもたちの語彙は日常的なことばの範囲にかなり限られている。接続詞や

副詞は大人にとっては日常的に使う語で、あまり抽象的な意味をもつという感覚はないが、文の前後の関係や修飾される語との関係を理解する必要があるため、子どもにとっては意味がつかみにくいことばである。

　漢語は、ことばが指し示す概念そのものが抽象的である場合がほとんどなので、副詞や接続詞とは別の意味で子どもにとっては意味の理解が難しい。漢語を漢字で学習していれば漢字から意味を推測することがある程度可能であるが、漢字を知らず、耳から聞いて漢語を覚えた場合には、状況から意味の推論をすることがとても難しい。実際、低学年の子どもは特に漢語の問題の正答率が低かった。

　低学年の子どもの語彙は主に耳から覚えたことばからできているので、音が似ている単語を混同していることが多いこともわかった。「きげん」と「きかん」のように、音が似ていて、概念も似ている場合、多くの子どもが誤って覚えていたのではないかと考えられる。逆にいえば、ここから個人差の原因が見えてくる。幼児期にはことばを耳から覚えるだけだったのが、小学生になって読むことを学習すると、ことばに触れるチャンネルが格段に増える。耳からだけでなく教科書からも学ぶ。そしてなにより読書からことばを学ぶことで語彙が広がる。**読書によって文字からどれだけのことばを学び、語彙を広げるかが個人差を生む**のである。

　抽象的な概念は、その概念に関連したさまざまなことばを知らないと、その意味を推論することができない。小学校では各教科で学ぶ概念がどんどん抽象的になる。その抽象性についていけなくなって、学校での学びが辛くなる子どもが急増するのが3～4年生、9歳のころなので、「9歳の壁」ということばも学校関係者の間で使われている [6]。すでに述べたように、ことばの「生きた知識」を習得するためには、語彙の広さも深さも必要なのである [7]。

　教科の学習には必ず抽象概念を指すことばが入ってくるが、日常会話では抽象的な概念を指すことばをあまり使わなくても成り立つので、抽象概念を含む幅広い種類のことばに十分に触れることができない。「ことばの

たつじん①」では、学年が上がると、それなりに語彙は広がっていることがわかった。しかし同時に、**日常生活では使わない単語を知らない、あるいはうろ覚えで正確に理解していない子どもが高学年でも目立った。**これらの語は読書によって得られるものなので、読書によって少し日常を離れたことば、あるいはことばの慣用的、比喩的な使い方に触れていくことがとても大事で、読書量によって語彙の質、量に個人差が生まれる所以である[8]。

3-3 「ことばのたつじん②」──空間・時間のことば

空間ことば

「ことばのたつじん②」は空間・時間に関することばの運用力を問うている。まず、空間ことばから見ていく。いくつかの代表的な問題を紹介しよう。

最初の問題は、自分の視点で右や左を問う問題である。ただし、問題には、どの視点で右、左とは書かれていない。一見非常に標準的に思われるこの問題に答えるときにも、「この問題で問われているのは自分の視点で、自分の右がこの問題で聞かれている『右』である」という知識(スキーマ)を使う必要がある。

● 「自分視点問題」の例

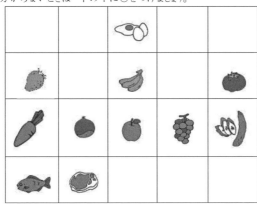

つぎの （1）～（3）の 場しょにある 食べものは どれですか。
図を見て ア～ウの中から 一つ えらんで ○をつけましょう。
答えが 分からないときは 下の？に○をつけましょう。

（1）くりの 左には 何がありますか。

　　　　ア　にんじん　　イ　りんご　　ウ　肉

　　　　？←答えが 分からないときは ここに○をつけましょう

（2）バナナの 右には 何がありますか。

　　　　ア　たまご　　　イ　いちご　　　ウ　トマト

　　　　？←答えが 分からないときは ここに○をつけましょう

　表3-10 を見ると、全体的に正答率は高い。しかし、100% ではないことに注目すべきである。「右」「左」のような毎日使うことばで、標準的な視点(自分の視点)をとるときでも、間違う子どもは一定数いるということである。間違った子どもはどのような間違い方をしていたのだろうか？

表 3-10 「自分視点問題」の学年別正答率

	平均正答率
2 年生	77.9%
3 年生	83.8%
4 年生	91.1%

「右」と「左」の混同もあったが、「バナナの右」というのは、バナナの「すぐ右隣り」と思っている子どもがいた。このように考えた子どもは「？」を選び、「なにもない」と書いていた。

　「右」という概念は、「右方向」を表し、特に右隣りのマス目だけを指すわけではない。これは「右」に限らず「左」「前」「後」「先」のような空間関係を表すことばについて共通の、大人がもつ暗黙の知識（スキーマ）である。大人にとってはこのことはあまりにも当たり前のスキーマなので、「『右』について知っていることをすべて説明してください」と言われても、わざわざこのことを書く人はいないだろう。しかし、子どもにとっては、これは習得しなければならないスキーマであり、すべての小学生が習得しているわけではないことがこの調査によってわかったのである。

　別の問題は、町の一角を俯瞰的に見ている図の中で、郵便局、本屋、学校などのランドマーク（地図上の目印）が示されていて、それを手がかりに場所を探す問題である。問題文にある「うら」「むかい」などの空間に関係することばを理解して、地図に示されている「あなた」の視点で地図上で場所を探すことができるかどうかを問うている。

● 「地図上のあなた視点問題」の例

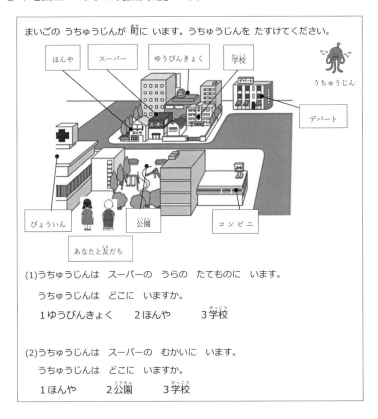

まいごの うちゅうじんが 町に います。うちゅうじんを たすけてください。

ほんや　スーパー　ゆうびんきょく　学校

うちゅうじん

デパート

びょういん　　公園　　コンビニ

あなたと友だち

(1)うちゅうじんは　スーパーの　うらの　たてものに　います。

　　うちゅうじんは　どこに　いますか。

　　1 ゆうびんきょく　　2 ほんや　　　3 学校

(2)うちゅうじんは　スーパーの　むかいに　います。

　　うちゅうじんは　どこに　いますか。

　　1 ほんや　　　2 公園　　　3 学校

　この問題は、少し正答率が下がる(**表3-11**)。「うら」「むかい」をター
ゲットにしたが、「むかい」ということばを理解した子どもは3学年を通
して全体の半分しかいなかった。日常的な空間のことばとはいえ、小学校
低学年ではことば自体を知らない、あるいは知っていても状況の中で使え
ないことがあるということはぜひ覚えておいてほしい。
　次の問題では、子どもが横向き(読者から見て向かって左が先頭)に2列に
なっていて、この状況で「前」や「左」が理解できるかを問うている。続

表 3–11 「地図上のあなた視点問題」の学年別正答率

	平均正答率
2 年生	60.6%
3 年生	73.5%
4 年生	85.6%

く問題では、同じ子どもたちが正面を向いて 2 列に並んでいる。横向きのときと正面向きのときで「前」や「右」が指し示すところが違うことを理解できているかがポイントになる。2 つの問題(2 つの視点)での平均正答率は**表 3–12** に示す通りである。

◉「イラスト中の子どもの視点問題」の例 1：横向き

りんちゃんが　れつに　ならんでいます。

りょうくん　ラダくん　りんちゃん　そんくん

ココちゃん　ゆうたくん　ようちゃん　ミミちゃん

(1)りんちゃんから　見て　前は　だれですか。

　　1 ラダくん　　　2 ようちゃん　　　3 そんくん

(2)りんちゃんから　見て　左は　だれですか。

　　1 ようちゃん　　2 そんくん　　　3 ラダくん

● 「イラスト中の子どもの視点問題」の例 2：正面向き

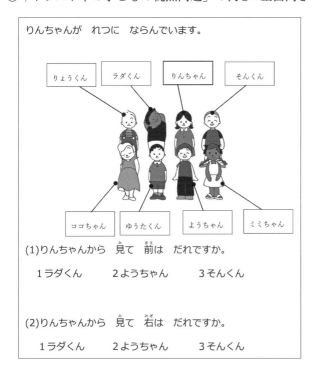

りんちゃんが　れつに　ならんでいます。

| りょうくん | ラダくん | りんちゃん | そんくん |

| ココちゃん | ゆうたくん | ようちゃん | ミミちゃん |

(1)りんちゃんから　見て　前は　だれですか。

　　1 ラダくん　　　2 ようちゃん　　　3 そんくん

(2)りんちゃんから　見て　右は　だれですか。

　　1 ラダくん　　　2 ようちゃん　　　3 そんくん

　表3-12 を見ると、平均正答率は全体的にはそれほど低くないが、子どもが横向きに並んでいる場合と、子どもが正面に向いている場合とで、後者のほうが低くなっており、特に2年生では顕著に低いことに注目すべきである。正面向きの場合、「○○ちゃんの右(左)」は、子ども自身の視点と逆になるので、この問題は特に難しかったようだ。

　この問題は、第1章で述べたように、視点の柔軟な変換が必要である。自分の視点ではなく、問題文のイラスト中の子どもの視点に合わせ、右、左、前、後などのことばを使うのは、特にイラストの列が自分と対面しているときには左右を混乱してしまう子どもがいるようである。

表 3–12 「イラスト中の子どもの視点問題」の学年別正答率

	平均正答率	
	横向き	正面向き
2 年生	83.2%	69.6%
3 年生	89.1%	78.5%
4 年生	91.4%	85.4%

表 3–13 「宝物探し問題」の学年別正答率

	平均正答率	
	自分と同じ視点	自分と逆の視点
2 年生	43.1%	27.3%
3 年生	59.1%	42.7%
4 年生	72.8%	55.0%

　次の「与えられた視点でターゲットの宝物を探す」という問題は、構造としては前の問題と同じように思える。しかし、問題の指示文が少し長くなって、多少の文章読解が必要になっている。「手前」や「最初」のような、時間的な順序も同時に表すことばも指示文の中で使われている。すると正答率は急激に下がることがわかった（**表 3–13**）。

◉「宝物探し問題」の例1：自分と同じ視点

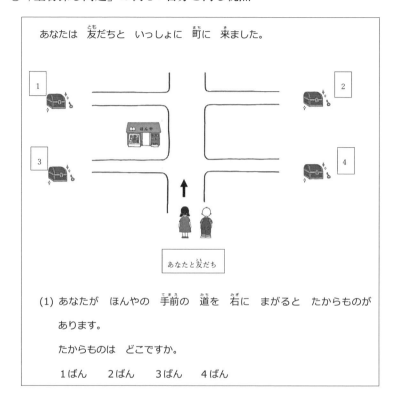

あなたは 友だちと いっしょに 町に 来ました。

[1]

[2]

[3]

[4]

ほんや

あなたと友だち

(1) あなたが ほんやの 手前の 道を 右に まがると たからものが

あります。

たからものは どこですか。

1ばん　　2ばん　　3ばん　　4ばん

　この問題に続く小問(2)では「ほんやの先の道を左にまがる」とある宝
物の場所を聞いている。

● 「宝物探し問題」の例 2：自分と逆の視点

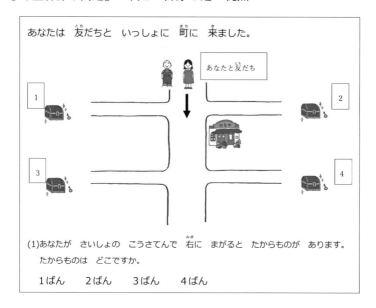

あなたは　友だちと　いっしょに　町に　来ました。

あなたと友だち

1

2

3

4

はなや

(1)あなたが　さいしょの　こうさてんで　右に　まがると　たからものが　あります。
　　たからものは　どこですか。

　　1ばん　　　2ばん　　　3ばん　　　4ばん

　続く小問(2)では「はなやの手前の道を左にまがる」、(3)では「はなや
の先の道を右にまがる」とある宝物の場所を聞いている。

　先ほどの子どもが正面向きで 2 列に並んでいる問題も、（読者から見て）
左を先頭にして横を向いて並んでいる場合に比べて正答率が低かったが
（表 3-12）、この宝物探し問題の自分と逆の視点の場合の正答率の落ち込
み方は顕著である。宝物探し問題では、そもそも自分と同じ視点でも正答
率が低く、逆の視点だとそれがさらに大きく落ち込んでいる（表 3-13）。

　つまり、「右」や「左」などのことばを使い、地図を読み取り、空間の
ことばを使った指示に従って問題を解決できるか否かは、単に自分の右手
の方向がわかる、さらに、対面になると相手の右は自分の左になるという
ことがわかるだけでは決まらない。**知識を使って問題解決をするためには、
自分以外の視点でものごとを見る力**(視点変更能力)**や作業記憶のような認**

知能力、かつ自分の視点という見方を抑制する実行機能が必要で、さらにそれらのパーツを統合する能力が必要なのである。

　第2章の算数文章題でも同じことを指摘したことを思い出してほしい。たとえば、「ケーキを4こずつ入れたはこを、1人に2はこずつ3人にくばります。ケーキは、全部で何こいりますか」の問題では、ケーキが4個入った箱が2箱という部分と、それを3人に配るという部分の統合ができず、前半部分のみの計算をしてしまう子どもが目立った。また、1時間は60分と知っているのに、問題を解くときには、5時間10分を510分としてしまう子どもも目立った。**学習内容が「生きた知識」になるためには、問題解決に必要な情報全体に目配りをして、部分を統合することが必要**だ。

　「ことばのたつじん②」の「空間ことば」はそのことをより直接的に示している。「前」「後」「右」「左」のような、日常生活で当たり前に使っていることばでも、問題文の読解が必要となる、あるいは他者の視点で道順をイメージする必要があるなど、複数の心的操作を並行して行わなければならない場合には、認知処理の負荷が高くなる。そうすると脆弱な知識は崩れてしまうのである。

　あることを学修したかどうかの評価において、細かく項目に分けて各項目が「できているか」「覚えられたか」という観点でチェックをつけていくことが標準となっている。しかし、**単純な質問では正しく答えられても、他の情報との「統合」を必要とする認知処理の負荷が少し高い状況で、その知識がほんとうに使えるのかが、「生きた知識」の習得の評価として求められる**のではないだろうか。

時間ことば

　時間の概念は空間のことばにもましてさらに抽象的である。見えない対象に秒、分、時間、日、週、月、年などの単位を与え、あたかも現実に存在するモノのように扱い、操作をするわけである。実際、算数文章題で、時間の計算が必要な問題の出来が非常に悪く、多くの子どもが時間の概念、

表 3-14　時間に関係する単位の問題の学年別正答率

	平均正答率		
	1 日は何時間？	1 週間は何日？	1 年は何か月？
2 年生	87.8%	60.8%	52.0%
3 年生	92.0%	80.3%	66.7%
4 年生	96.0%	93.4%	87.8%

特に単位変換に困難を抱えていることが見てとれた。5 時間 10 分から 2 時間 50 分を引くという、一見単純な操作に子どもがこれほど困難を覚えるのは、単位変換の問題もさることながら、時間という目に見えないものを扱いあぐねているところが大きい。「ことばのたつじん②」では、時間に関する単位の知識と、「1 週間後」「2 日前」「5 日後」「1 週間先」など、「前」「後」「先」という空間にも使う時間のことばの理解を測った。

　時間の単位の知識を問う問題では、1 日は何時間、1 週間は何日、1 年は何か月という、日常生活で使う基本的なことばに関して、単位の知識を聞いた。この基本的な知識を問う問題 3 問を全問正解できたのは 2 年生ではたった 40% で、4 年生でも全問正解できない子どもが少なからずいた。「1 日は何時間？」の問いにはほとんどの子どもが答えられたものの、2 年生では、「1 週間は何日？」「1 年は何か月？」に正答できない子どもが大勢いた（表 3-14）。

　さらに驚いたのは、「今日は 3 月 14 日です。2 日先は何月何日ですか？カレンダーに○をつけてください」のように、問題文を読み取り、答えの日に○をつける問題の正答率の低さである。この問題は 13 問あり、(1) あした、(2) ちょうど 1 週間後、(3) きのう、(4) 2 日前、(5) 5 日後、(6) 来週の月曜日、(7) ちょうど 1 週間前、(8) 先週の月曜日、(9) 5 日先、(10) 2 日後、(11) 1 週間先、(12) 2 日先、(13) 5 日前、の日を聞いた。

● 「カレンダー問題」の例

(1)りんちゃんの たん生日は 3月 14日です。

たん生日の ちょうど 一週間後は おわかれ会です。

カレンダーの 中から おわかれ会の日を 一つ えらび ○をしましょう。

答えが 分からないときは 下の?に○をつけましょう。

3月						
月	火	水	木	金	土	日
				1	2	3
4	5	6	7	8	9	10
11	12	13	14	15	16	17
18	19	20	21	22	23	24
25	26	27	28	29	30	31

? ←答えが 分からないときは ここに○をつけましょう

表3-15 はそれぞれの問題の学年別の正答率を示している。特に正答率が低いのは「ちょうど1週間後」「ちょうど1週間前」「先週の月曜日」「1週間先」である。これらの問題は2年生では正答率が50%以下となって

表3-15 「カレンダー問題」の学年別正答率

	あした	ちょうど 1週間後	きのう	2日前	5日後	来週の 月曜日	ちょうど 1週間前
2年生	93.2%	**46.6%**	84.5%	77.0%	61.5%	68.9%	**43.9%**
3年生	93.9%	**67.4%**	97.0%	90.9%	74.2%	83.3%	**68.2%**
4年生	94.7%	**87.4%**	98.0%	96.7%	80.1%	90.7%	**86.8%**

	先週の 月曜日	5日先	2日後	1週間先	2日先	5日前
2年生	50.0%	70.3%	72.3%	**48.7%**	70.3%	66.9%
3年生	68.9%	78.0%	83.3%	**65.2%**	83.3%	81.1%
4年生	84.1%	87.4%	91.4%	**80.1%**	84.1%	88.7%

いる。

　「前」「後」「先」は空間関係にも使われる。空間関係を表すとき、視点によって「前」「後」が変わり、それに伴って「右」「左」も変わる。状況に合わせて視点を選択し、これらのことばを適切に使うことは、小学生にとって、特に低学年の子どもには、とても難しいことをすでに指摘した。

　空間での「前」「後」「先」の難しさよりも時間での使用がさらに難しいことには理由がある。「前」と「後」が時間の関係を表すとき、空間と時間の対応関係は直感と反対になっているのである。直感的には、私たちは未来に向いているイメージをもつ。過去は後ろだ。実際「過去を振り返らず、未来を向いていこう」という表現をよく耳にする。つまり、自分は時間を過去から未来に向かって進んでいるというモデルを私たちは心の中に共有している。しかし、「1週間前」「1週間後」はそのイメージとは逆に、すでに起こったこと、時間的に古いできごとが「前」で、これから起こることや時間的に新しいできごとが「後」になる。言語では（少なくとも日本語では）、時間は、直感とは逆に、未来から過去に流れるモデルで「前」「後」が使われているのである（**図3-1**）。

　「何十年も前のできごとを振り返らず、未来を向いて前進していこう」

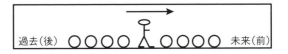
自分が過去から未来に流れている時間の川を
未来に向かって進んでいくモデル

過去（後）　○○○○ 👤 ○○○○　未来（前）

未来から過去に向かって流れている時間の流れを
自分が客観的な視点で観察しているモデル

過去（前）○○○○○○○○○○○○ 未来（後）

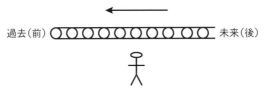

図 3-1　2 つの時間モデル(Gentner, Imai & Boroditsky, 2002 [9)])

というようなことを大人はよく言うし、聞いても特に違和感をもたない。しかし、この 1 つの文に、矛盾した時間モデルが使われていることに読者はお気づきだろうか。「何十年も前」というときには時間が未来から過去に流れているモデルを使っているのだが、後半の「振り返らず…」以下の部分は、自分が未来に向かって進んでいるモデルを使っているのである。大人は 2 つの対立しているモデルをほとんど意識することなく言語の慣習として使っている。しかし、この慣習が子どもに混乱を引き起こすことは想像に難くない。

　注意深く表の数値を見ると、同じ「前」や「後」でも、「2 日前」「5 日後」と「1 週間前」「1 週間後」では正答率が少し異なり、「1 週間前・後」のほうが低くなっていることに気づく。これは、「1 週間」という時間表現自体を誤解している子どもがいることによる。「1 週間」を学校のスケジュールのサイクルのことと思い、「1 週間」を「5 日」と勘違いしている子どもが少なからずいることがわかった。それが正答率を引き下げたのだろう。**子どもの間違いは単一の要因でシンプルに説明できることはめった**

ない。このケースのように、**複数の原因が複合的に働いて難しさを作り出していることがほとんどなのである。**

「先」ということばも曲者である。「1週間前」「1週間後」は時間が未来から過去に流れるモデルで使われ、前が過去、後が未来になるのに、「1週間先」は、自分が未来に進んでいくモデルで使われるのである。しかし、音がよく似ている「さっき」ということばは、過去のできごとを指す。耳から「さき」と「さっき」を聞いた子どもは、同じことばだと思っていても不思議はない(実際どちらも漢字で書けば「先」である)。「さっきおやつ食べたばかりでしょ」は過去のことなのに、「テストはもう3日さきなのよ」はこれからのことである。「せんしゅう」ということばもまた、同じ漢字の「先」を使い、過去のことを指す。「先週」とか「さっき」は、未来から過去に時間が流れるモデルで使われるのである。これは子どもでなくても混乱する。日本語を母語としない外国人も「先」にはとても苦労するそうだが、無理のないことだ。

時間は目に見えない抽象的な概念なので、もともと子どもにとって理解しづらい。それに加えて、言語では未来→過去、過去→未来という2つの逆方向のモデルが存在し、大人は2つのモデルを混ぜて使っている。子どもが時間のことばの理解や使用に苦労するのは当然なのである。

3–4 「ことばのたつじん③」——動作のことば

「うごきことば」は20の日常的な動作を表す動詞を[　　]の中に適切な形に活用させて書き入れるテストである。子どもが似た意味の動詞を適切に使い分け、活用させ、正しい表記で運用できる力を問うている。子どもは、それぞれのターゲットの動詞について、[　　]の中に入ることばを適切な形で書くように求められる。練習問題でその説明をしている。

「うごきことば」は、衣服や帽子などを身につける動作(「着る」系)、モノを身体のどこかで支えて保持する動作(「持つ」系)、モノを手あるいは刃

物を用いて分断したり形状を変化させたりする動作(「切る・割る」系)の3つのジャンルから動詞を選び、順番をバラバラにして問題冊子を作成した。

● 「うごきことば」問題の例

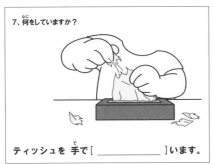

　このテストは、適切な動詞を適切な形態・表記で書けたら完全正答として2点、動詞は適切でも、本来自動詞のところを他動詞にしてしまったり、活用が誤っていたり、表記が誤っていたりした場合には部分点で1点を与えた。20問すべてを完全正答した場合の満点は40点である。**表3-16**に2,3,4年生の平均得点を示した。
　表3-17には、問題ごとに、2点、1点、0点の分布と、2点、1点、0点の代表的な解答例をあげた。予備調査での協力校への聞き取りから、方

表 3-16 「うごきことば」全 20 問の平均得点(40 点満点)

2 年生	3 年生	4 年生	全体平均
23.3 点	27.0 点	29.2 点	26.6 点

言によって用いられる動詞も異なることが予想され、どのような解答を完全正答として 2 点与えるかは難しい場合もあった。そのため、同じ問題を広島県と神奈川県の大学生を対象に出題し、一定割合以上の大学生が用いた動詞は、正しく活用、表記されていれば 2 点を与えた。

　動詞によって得点分布が大きく異なることが**表 3-17** から明らかである。「チーズを縦に[さいて]」「草を鎌で[かって]」「リュックサックを肩に[かついで]」「ネクタイを[しめて]」などは、完全正答率が非常に低い。

　「うごきことば」は、このように、問題ごとに完全正答率がかなり異なるので、20 問全体の得点はあまり重要ではない。むしろ、子どもの誤答を注意深く見ていくと、その子どものことばの力に関する課題がかなり鮮明に見えてくる。動詞自体を知らないために書けないのは「裂く」「刈る」「(ネクタイを)締める」「担ぐ」といった動詞であるが、そもそもこれらの動作を小学生が日常生活の中で見たり自分で行ったりすることが少ないためだと思われる。外国児童の場合も、「(目薬を)さす」「(ハンガーに服を)かける」「(水を)切る」のように、学校生活では行われにくく家庭で行われる動作の動詞や、「(ボートを)こぐ」「(網を)ひく」「(そりを)ひく」「(橋を)かける」など生活場面で遭遇しにくい状況を表す動詞は苦手だという傾向があることが報告されている [10]。逆に、これらの動作の動詞を知っており、的確に使える子どもは、日常会話だけではなく、本などから語彙を学んでいると考えられる。

　誤答は以下の 5 つのパターンに分類される。(1)自動詞と他動詞の混同に代表される文法的な間違い、(2)語彙的な間違い、(3)語の形態の間違い、(4)語の音を聞き違えたまま覚えている(たとえば「つぶして」を「ちぶして」

表 3-17 「うごきことば」の得点基準と小問・学年ごとの得点分布

問題文([　]内は正解) 　部分点を与えた解答例 　不正解とした解答例	得点	2 年生	3 年生	4 年生	全体 平均
1. 帽子を頭に[かぶって]	2 点	44.9%	60.7%	72.2%	59.7%
かぶせて、かぶて、かぶる…	1 点	37.5%	31.6%	21.9%	30.0%
のせて、はめて、かぶりって	0 点	17.7%	7.7%	6.0%	10.4%
2. チーズを縦に[さいて]	2 点	7.4%	18.8%	35.1%	21.0%
さけて、さいで	1 点	7.4%	6.8%	11.3%	8.7%
やぶいて、きって、おって	0 点	85.3%	74.4%	53.6%	70.3%
3. 猫を両腕で[だいて／かかえて／だっこして／だきかかえて]	2 点	53.7%	71.8%	72.2%	65.8%
だこして、だっこ、たいて、だく、かかいで、たっこして	1 点	11.8%	5.1%	4.6%	7.2%
にぎって、おんぶ、だきついて、もちげて、	0 点	34.6%	23.1%	23.2%	27.0%
4. 空き缶を手で[つぶして／にぎりつぶして／おしつぶして]	2 点	70.6%	81.2%	87.4%	80.0%
つづ(ず)して、ちぶして、つぶしてます	1 点	8.8%	4.3%	1.3%	4.7%
にぎって、にぎりしめて、こわして、おして	0 点	20.6%	14.5%	11.3%	15.4%
5. ジーパンを[はいて／下からはいて／はこうとして]	2 点	87.5%	95.7%	96.0%	93.1%
うえにはいて、てではく、はいている	1 点	4.4%	3.4%	0.7%	2.7%
きて、あいて、あけて	0 点	8.1%	0.9%	3.3%	4.2%
6. 草を鎌で[かって／かりとって]	2 点	6.6%	12.0%	33.8%	18.3%
かる、かりとり	1 点	0.0%	0.9%	0.7%	0.5%
切って、ぬいて、ちぎって、ちぎりって、むしって、きてい	0 点	93.4%	87.2%	65.6%	81.2%
7. ティッシュを手で[ちぎって／やぶって／やぶいて]i)	2 点	80.9%	89.7%	92.1%	87.6%
ちきって、ちぎて、やぶて、やぶして	1 点	8.8%	6.0%	1.3%	5.2%
とって、きって、ひっぱて、こなごなに、きる	0 点	10.3%	4.3%	6.6%	7.2%
8. リュックサックを[せおって／しょって]	2 点	57.4%	59.8%	76.8%	65.4%
せよって、せをて、しょう	1 点	28.7%	30.8%	21.2%	26.5%
かけて、かついで、おんぶ、かたにのせて	0 点	14.0%	9.4%	2.0%	8.2%
9. マフラーを首に[まいて／まきつけて]	2 点	65.4%	65.0%	76.8%	69.6%
まく、まくて、かけて、つけて	1 点	27.2%	30.8%	20.5%	25.7%

かける、つける、とおして、はめて、あったまって	0点	7.4%	4.3%	2.7%	4.7%
10. 新聞紙をビリビリ[やぶいて／やぶって／に（と）やぶって]	2点	75.7%	87.2%	91.4%	84.9%
やぶて、やぶり、やぶく、やぶって、やふして	1点	11.8%	4.3%	4.6%	6.9%
ちぎって、にして、ぐちゃぐちゃにして、におって、きって	0点	12.5%	8.6%	4.0%	8.2%

ⅰ）「やぶって」「やぶいて」も正答としたため完全正答率が高い。「ちぎって」だけを正答にすると2点は50%になる。

問題文（[　]内は正解） 部分点を与えた解答例 不正解とした解答例	得点	2年生	3年生	4年生	全体 平均
11. リュックサックを両腕で[かかえて／だきかかえて]	2点	21.3%	19.7%	31.8%	24.8%
かかえ、かかいて、もって	1点	48.5%	51.3%	41.1%	46.5%
だいて、つかんで、ささえて、だっこして、かついで	0点	30.2%	29.1%	27.2%	28.7%
12. 口紅を[ぬって／つけて／口にぬって／口につけて]	2点	64.0%	77.8%	76.2%	72.5%
ぬて、ぬっています	1点	20.6%	18.0%	17.2%	18.6%
むって、ゆって、りっぷをして、口にやって、ぬいて、めいく	0点	15.4%	4.3%	6.6%	8.9%
13. カバンを手に[もって／さげて]	2点	83.8%	86.3%	88.7%	86.4%
もっている、もつ、もて	1点	5.9%	7.7%	4.6%	5.9%
かけて、つかんで、とって、かかえて、まって	0点	10.3%	6.0%	6.6%	7.7%
14. 赤ちゃんを背中に[おんぶして／せおって／おぶって／おんぶをして]	2点	26.5%	29.1%	43.1%	33.4%
おんぶさせて、しょて、おんぷして、せおいで	1点	13.2%	18.0%	16.6%	15.8%
のせて、だいて、かかえて、だっこして、して	0点	60.3%	53.0%	40.4%	50.7%
15. ネクタイを[しめて／ぎゅっとしめて]	2点	6.6%	32.5%	37.1%	25.5%
つけて、つける	1点	56.6%	38.5%	39.7%	45.1%
かけて、まいて、むすんで、しばって、ととのえて	0点	36.8%	29.1%	23.2%	29.5%
16. バックを肩に[かけて／さげて]	2点	51.5%	74.4%	75.5%	67.1%
かける、かけ	1点	1.5%	0.9%	0.0%	0.7%

	せおって、もって、のせて、かついで、つるして	0 点	47.1%	24.8%	24.5%	32.2%
17.	枝をボキっと[おって]	2 点	76.5%	92.3%	90.7%	86.4%
	おて、おる、をって、おれ	1 点	11.0%	1.7%	2.0%	5.0%
	わって、きって、やぶる	0 点	12.5%	6.0%	7.3%	8.7%
18.	おせんべいを手で[わって]	2 点	66.9%	77.8%	84.1%	76.5%
	わる、わて、分けて	1 点	5.9%	0.9%	4.0%	3.7%
	おって、ちぎって、やぶって、こはして、たべて、きって	0 点	27.2%	21.4%	11.9%	19.8%
19.	リュックサックを肩に[かついで]	2 点	7.4%	22.2%	26.5%	18.8%
	かついて	1 点	0.0%	1.7%	0.0%	0.5%
	もって、かけて、せおって、かかえて	0 点	92.7%	76.1%	73.5%	80.7%
20.	草を手で[ぬいて／むしって／ひっこぬいて／むしりとって]	2 点	41.2%	41.0%	37.1%	39.6%
	むしとって、ぬいている、ぬき、ぬく	1 点	32.4%	50.4%	55.6%	46.3%
	むいて、ひっぱって、やぶって、もぎとって	0 点	26.5%	8.6%	7.3%	14.1%

と思っている)、(5)表記、特に促音の表記がきちんとできない(たとえば「だっこして」を「だこして」など)である。ただし、(4)と(5)のどちらか一方への分類は難しく、両方が同時に存在している可能性が高い。また、(3)語の形態の間違いは、文法的な活用の知識が足りないというよりも、ターゲットの語をうまく後ろに続けてきちんとした文になっているかを確認する注意、メタ認知を働かせていないことが原因の可能性もある。

もっとも顕著なのは、(2)の語彙的な間違いである。「裂く」に対して「破る」「切る」「折る」、「抱く」に対して「おんぶする」、「割る」に対して「ちぎる」「折る」「破る」、「はく」に対して「着る」、「担ぐ」に対して「背負う」など、意味が近い動詞との違いが整理できていないための間違いが、もっとも多かった。

類義語の中から文脈でもっとも適切な語を選んで正確に使うことは、よい文章を書くために非常に大切な能力であるが、実はそのためにはそれぞれの語の意味の深い理解が必要なのである。さらに、似た意味をもつ単語

を正確に使い分けるよう意識することはことばのセンスを育んでいくことにつながる。形態を適切な形に変化させず、思いつく動詞を思いつく形態で書き、見直しもしないことが原因と考えられる誤答がかなり多かったが、似た意味をもつことば同士の意味を「だいたい同じ意味だから同じように使ってOK」と考えるのではなく、似たことば同士だからこそ、きちんと区別するためにそれぞれの意味を考え、差異を整理しようとすることで、当該の単語の意味だけでなく、ことばに対する認識自体を深め、ことばに対する感覚・感性を磨いていくことが重要である。

3-5　言語力の個人差

　表3-18に「ことばのたつじん①②③」の各大問の学年別平均正答率をまとめて示した。どの問題も学年が上がると正答率が上がっていることがわかる。では、同学年の中の個人差はどのくらいあるのだろうか？　**表3-19**は「ことばのたつじん①②③」の合計点によって各学年の子どもを3つの階層（上位、中位、下位）に分け、それぞれの階層の子どもの、各大問の平均を示している。どの学年でも階層によってかなりの違いがある。特にほとんどの大問で、2年生の上位層のほうが4年生の下位層よりも得点が高いことに注目するべきである。また、空間ことばと時間ことば（ことばのたつじん②）では、2年生で上位層と下位層の間の差が特に顕著である。このことについては、第5章、第6章で、「かんがえるたつじん」の結果と合わせてさらに考察していく。

　空間ことばは上位層と下位層の差が大きいが、2年生で特にその傾向が顕著である。空間ことばの中でも特に正答率が低かったのが「宝物探し問題」であった。自分と逆の視点で左右を決める問題の正答率が突出して低かった。この問題について、各学年で階層別の正答率を見てみよう。

　表3-20は非常に興味深い発達の傾向を示している。2年生は、上位層であっても自分と同じ視点でさえ正答率が低い。自分と逆の視点だと壊滅

表 3-18 「ことばのたつじん①②③」各大問の学年別正答率

	全体平均	ことばのたつじん①			ことばのたつじん②		ことばの たつじん③
		ことばの いみ	にている ことば	あてはまる ことば	空間ことば	時間ことば	うごき ことば
2年生	59.9%	64.5%	50.7%	47.1%	61.6%	66.8%	59.4%
3年生	72.1%	78.2%	71.4%	56.5%	73.2%	80.3%	67.5%
4年生	78.9%	86.0%	78.0%	65.4%	80.5%	89.0%	72.9%

表 3-19 「ことばのたつじん①②③」各大問の学年・階層別正答率

		人数	全体 平均	ことばの いみ	にている ことば	あてはま ることば	空間 ことば	時間 ことば	うごき ことば
2 年 生	上位	49	72.3%	78.8%	64.0%	58.9%	71.9%	87.1%	69.6%
	中位	50	61.1%	66.6%	50.8%	44.2%	64.4%	70.1%	60.1%
	下位	50	46.5%	48.5%	37.2%	38.0%	48.5%	42.2%	48.3%
3 年 生	上位	44	82.1%	88.2%	83.4%	63.9%	87.8%	92.9%	77.3%
	中位	40	73.5%	80.9%	72.7%	56.3%	73.9%	85.6%	67.4%
	下位	47	61.5%	66.9%	58.9%	49.8%	59.0%	63.8%	58.4%
4 年 生	上位	49	87.7%	92.9%	87.8%	75.6%	93.5%	96.6%	82.7%
	中位	51	79.9%	88.0%	79.6%	66.2%	80.0%	90.9%	73.4%
	下位	51	69.4%	77.3%	67.1%	54.7%	68.4%	79.9%	62.8%

的である。自分と同じ視点ですら難しいので、「宝物探し問題」自体が2年生には難しすぎるのかもしれない。

　学年全体の平均を見ると2年生から3年生にかけて大きく伸びているように見える。しかし階層別に見ていくと、それとは異なる景色が見えてくる。**3年生になると、上位層と中・下位層で大きな差が生まれるのである。また、それは特に自分と逆の視点で顕著になる。**上位層では、自分と同じ視点でも逆の視点でも正答率は70％を超える。どちらの視点でも、2年生から大きな飛躍が見られるということだ。それに対して、中位層では、自分と同じ視点の場合には正答率が60％を超えるが、自分と逆の視点で

表3-20 「宝物探し問題」の学年・階層別正答率

		平均正答率	
		自分と同じ 視点	自分と逆の 視点
2年生	上位	56.1%	32.0%
	中位	50.0%	21.3%
	下位	25.5%	**28.6%**
3年生	上位	77.3%	70.5%
	中位	65.0%	35.8%
	下位	38.3%	**23.4%**
4年生	上位	88.6%	84.1%
	中位	75.5%	52.9%
	下位	58.2%	**29.9%**

は伸びない。下位層では、自分と同じ視点でも逆の視点でも正答できない。

　4年生でも3年生と同じパターンが見られたが、下位層の逆の視点以外
は各階層の得点は少しずつ伸びている。逆の視点では、下位層は4年生で
も正答率が30%を切る低さである。

　ここから何が読み取れるだろうか。3年生になると、発達だけでなく、
個人差が露わになる。上位層は複雑な「宝物探し問題」において、自分視
点だけでなく、他者視点も楽に扱えるようになる。この点が上位層と中位
層を分ける点だ。中位層の子どもたちは、自分視点は扱えるようになるが、
他者視点はまだ扱えない。

　4年生になると、自分と同じ視点では、どの階層も10ポイントから20
ポイントの得点アップが見られた。特に下位層の子どもたちは、3年生に
比べ20ポイントの伸びである。しかし、自分と逆の視点になると、下位
層の子どもたちは、3年生の下位層と比べ、ほとんど伸びが見られない。

　まとめると、**自分と逆の視点で左右を考える課題は、3, 4年生で大きな
個人差をもたらす**。特に下位層の子どもたちは4年生になっても2年生か
らの伸びがほとんど見られない。逆向きの視点での宝物探しは、問題文を

表 3–21 「カレンダー問題」のうち「1 週間前」「1 週間後」「1 週間先」「先週の月曜日」の 4 問合計の学年・階層別正答率

		平均正答率
2 年生	上位	**74.5%**
	中位	50.5%
	下位	**17.6%**
3 年生	上位	87.5%
	中位	72.5%
	下位	45.7%
4 年生	上位	96.0%
	中位	90.2%
	下位	70.4%

読解し、自分と逆の視点で地図を進むシミュレーションをして左右を考えるという、非常に認知的な負荷が高い問題である。**下位層の子どもたちは、このような複合的な認知的負荷についていけない可能性が高い。**その結果、社会科の地図の読み取り、総合学習での学校の周辺マップの作成などで、積極的に議論に関われないなどの影響が出てくる。この点については次章の「かんがえるたつじん」でさらに考察していく。

　時間ことばの「カレンダー問題」も 2 年生で正答率が低かったが、その中でも「1 週間前」「1 週間後」「1 週間先」「先週の月曜日」の項目が特に顕著であった。これらの問題は、上・中・下位層で学年の中でも大きな個人差が見られるだろうか？

　これら 4 項目の正答率を階層別で表したものが**表 3–21** である。この表からわかるように、2 年生での上位層と下位層の差が際立っている。3 年生でも下位層の正答率は 50% を下回っている。**時間の単位やカレンダーの見方は、小学生ならわかっているという前提で学校ではスケジュールの伝達がなされている。**算数はもとより、すべての教科もこの前提のもとで進められている。**しかし、少なからぬ割合の子どもたちにとって、その前提が通用しない**ことをこの調査結果は示している。

3-6 「ことばのたつじん」と学力の関係

　第2章2-5節の分析では、「ことばのたつじん」が測る言語力の階層は算数学力と連動していることを確認した。ここではもう少し粒度を細かくして、「ことばのたつじん①②③」の得点が学力とどの程度関係しているのかを示す指標である相関係数から見てみよう。

　相関係数は−1から1までの間で変動し、値が0に近いほど2つの変数（仮にXとYとする）の関係は弱くなる。相関係数が0のとき、2つの変数の間には「関係がない（無相関である）」と解釈される。Xが増加すればYも増加するという関係があれば相関係数は正になり、1に近くなるほど関係が強い。1の場合には、Yの値はXの値から完璧に予測できる。相関係数が−1に近ければ、XとYの増加方向は逆になり、Xが減少するほどYは増える関係となる。

　心理学をはじめとした社会科学では、相関係数が0.5以上ある場合、かなり強い関係性があると考える。相関係数の横に付された＊は、その値が統計学的に意味があるか（偶然によるものとは考えにくいかどうか）を示すものである。その値が偶然によってもたらされる確率が、＊が1つなら5％以下、2つなら1％以下、3つなら0.1％以下であることを示している。

　ここでは、（算数文章題の得点を学力の指標とした）福山市のデータと（国語と算数の学年末標準学力テストの得点を学力の指標とした）広島県のデータの両方で見ることにする（**表3-22**）。前にも述べたように広島県調査は2年生のみを対象としており、福山市調査は3〜5年生を対象にしている（ただし、「ことばのたつじん」調査実施時には、子どもたちは1学年下の2〜4年生だった）。

　福山市の算数文章題テストを指標としても、広島県の国語・算数標準学力テストを指標としても、「ことばのたつじん①②③」の得点は学力と強い相関があることがわかる。正確な機械を用いれば正確に（客観的に）測定することができる数量と異なり、心理学で測る概念（たとえば「学力」「思考力」「言語力」など）は、常にぶれなく客観的に測ることが難しく、個人差

表 3-22 「ことばのたつじん①②③」得点と算数文章題・標準学力テスト (国語・算数)得点の相関

		ことばの たつじん①	ことばの たつじん②	ことばの たつじん③
福山市・算数文章題テスト	3〜5 年生	0.50***	0.56***	0.33***
	3 年生	0.49***	0.58***	0.34***
	4 年生	0.58***	0.67***	0.35***
	5 年生	0.44***	0.47***	0.30***
広島県・標準学力テスト・国語	2 年生	0.56***	0.62***	0.55***
広島県・標準学力テスト・算数	2 年生	0.57***	0.75***	0.47***

*** p < .001

も大きいので、0.5 を超える相関係数というのは、かなり高い値である。その中でも「ことばのたつじん②」(空間・時間のことば)は、広島県調査、福山市調査のどちらでも、3 つのテストの中で学力ともっとも相関が高い。「空間・時間のことば」テストが測ることばの運用能力、特に文脈で求められている他者の視点を取って心の中で地図上を進んだり、その場のイメージを作ったりする能力や、時間という抽象概念に対して今を基準として、それよりも前か後かという、言語の慣習が求めるメンタルイメージを対応づけたりする能力が、国語にも算数にも深く関わり、学力の大事な基盤になっていることが読み取れる。

　従来の語彙調査は、語彙の広さのみに注目したものであった。「ことばのたつじん」調査では、語彙の広さは学力に関係するものの、それにもまして、文脈に合わせて、他者の視点をとりながらことばを運用する力が学力の基盤になっていることが明らかになったのである。

　「ことばのたつじん」と「かんがえるたつじん」と学力の関係をさらに詳細に見ていくために統計モデルによる検討も行ったが、その結果は第 5 章であらためて報告する。

第4章

「かんがえるたつじん」による
思考力のアセスメント

本章では、「かず・かたち・かんがえるたつじん」の説明と福山市調査の結果の報告をする。前述のように、「かず・かたち・かんがえるたつじん」は長いので、「かんがえるたつじん」と略記する。

4-1 テストの概要

第1章で2つの「たつじんテスト」の概要とデザイン理念を説明したが、ここで再度構成について簡単に述べる。「かんがえるたつじん」も「ことばのたつじん」と同様に3部構成になっている。認知科学の長年の研究から、子どもの算数学力に特に重要と考えられている3つの要素——①数、特に整数、分数、小数に関するスキーマ、②実行機能、作業記憶を中心にした認知能力、③推論能力——を軸にして、それぞれの下位テストが作られた。

「かんがえるたつじん①」は主に数についての概念の理解(数についてのスキーマ)を測る。ここで特に注目するのは、整数、分数、小数の概念である。子どもの「数」の理解(スキーマ)を測る課題として、任意の数直線上で当該の数がどのくらいの位置にあるのかを直感的に捉え、数直線上に位置づける「心的数直線課題」と、任意の2つの数の大小の判断をする「大小判断課題」がある。どちらも、小学生の算数学力と高い相関があり、将来の数学学力の予測力も高いことが示されていて、認知科学では非常に有名な課題である[1]。「かんがえるたつじん①」ではこの2つの課題を取

り入れて、3つの大問を作った。

　「かんがえるたつじん②」は図形を回転させたり、一部を隠したり、折ったりしたときに、操作を加えた後の図形のイメージを心の中で作る力を測る。図形そのものについての知識というより、作業記憶を使ってイメージの操作をする能力を測っている[2]。

　「かんがえるたつじん③」は推論の力を測る。ここでは算数をはじめとした学校の教科で学ぶような知識を前提とせずに、幼児期までにだれでも身につける日常的な知識を用いて、論理的な推論をしたり、類推をしたりする能力を測る。

　以下、大問ごとに、問題の例、大問の学年別正答率を示す。また、「かんがえるたつじん」の総合得点によって、学年ごとに子どもを上位、中位、下位の3層に分け、階層ごとの平均得点も報告し、同じ学年の中で数についての知識(スキーマ)や認知能力にどのくらい個人差があるのかを考察していく。なお、繰り返しになるが、「ことばのたつじん」実施時に2,3,4年生だった子どもたちは「かんがえるたつじん」実施時には3,4,5年生となっていた。

4–2　「かんがえるたつじん①」——整数・分数・小数の概念

大問1　整数の数直線上の相対的位置

　「かんがえるたつじん①」の大問1は、0から100までの数直線上に、与えられた数のだいたいの位置を線(矢印)で示すという問題である。

　たとえば18なら、20に近いから、目分量で100を4分割して、それよりもちょっとだけ0に近いところに線を引く。71なら、100を10等分して70に近いところに線を引くというような方略が可能である。実際、正解の子どもはそのような方略を使っていた。この方略を使えるということは、0から100までの整数の等間隔性や相対的な大小についてのスキーマ

をもっているといえるだろう。

●大問1(整数の数直線上の相対的位置)の正答例

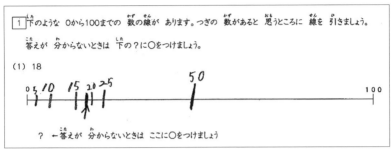

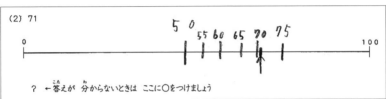

しかし、この方略が使える子どもは多くなかった。

「かんがるたつじん①」大問1(整数の数直線上の相対的位置)は以下のように採点し、正答率を**表4-1**にまとめた。学年ごとの平均と学年内で3つの階層に分けたときの平均を示している。

[大問1の採点方法]

A. 左端(0)から解答した線までの距離(mm)を測定する。

B. 100までの数直線の長さが200 mmであったため、Aを2で割る。

C. Bが提示数±3、提示数±5、提示数±10、提示数±15の範囲であれば各1点。

D. さらに、Bが50以下/以上であれば1点(提示数が50より上か下かによって変更)(なお、提示数が4の問題だけはBが25以下の場合に1点)。

表 4-1　大問 1（整数の数直線上の相対的位置）の学年・階層別正答率

	全体平均	下位	中位	上位
3 年生	40.4%	9.7%	44.1%	72.3%
4 年生	65.0%	39.8%	73.2%	83.5%
5 年生	74.7%	63.1%	76.6%	84.9%

E．すべてを足し、得点を出す（5 点満点）。

　大問 1 は 4 つの小問（提示数が 18, 71, 4, 23）があり、合計で 20 点満点になる。他の問題と比較可能なように、子どもごとに 4 つの小問の合計得点を出し、20 点で割った数値を正答率とした。

　3 年生の正答率は非常に低いが、学年が上がると全体の正答率は上がっていく。しかし、階層別のスコアを見ていくと、学年平均だけを見ていては大事なことを見落としてしまうことがわかる。上位層と下位層の差が非常に大きいのである。特に 3 年生、4 年生の下位層の子どもは上位層と得点に大きな差があり、この課題がまったく理解できていないことが見てとれる。**整数に対して相対的な大きさのスキーマがもてない子どもは、分数や小数の理解も非常に厳しいことは予想に難くない。**

　子どもの数の理解のしかたを垣間見ることができる典型的な誤答を紹介しよう。次の解答を描いた子どもは 0 から 100 までの数直線上に、問題で問われている数だけ線を引いている。数が数直線で表せるということ自体が理解できていない。さらに言うと、数は、100 にしろ、1000 にしろ、任意の長さの線や量として表すことができ、その中で相対的に与えられた数の位置や量を考えるということができていないのである。

●大問 1 (整数の数直線上の相対的位置) の誤答例 1：提示数の本数だけ線を引く。

(3) 4

0 ||||| 1 0 0

? ←答えが 分からないときは ここに○をつけましょう

(4) 23

0 |||||||||||||| ||||||||||| 1 0 0

? ←答えが 分からないときは ここに○をつけましょう

　数が相対的な概念だということを理解しない子どもは、数はモノを数えたり、測ったりするためのものだと思っている。このことは、少なからぬ子ども (その多くは 3 年生) が、定規を取り出し、18 のときには 18 mm、4 のときは 4 mm、23 のときは 23 mm のところに線を引いていたことからもわかる。71 のときはどうしたか。なんと 17 mm のところに線を引いているのである。算数文章題でも計算しやすいように一の位と十の位の数をひっくりかえしてしまう子どもが散見されたが、ここでも同じことをしている。そもそも 2 桁の数字の最初の数字が十の位で、後の数字が一の位を表し、71 は 70 + 1 ということの理解があやふやなのかもしれない。

●大問 1 (整数の数直線上の相対的位置) の誤答例 2：提示数 18 のときは 18 mm、提示数 71 のときは 17 mm のところに線を引く。

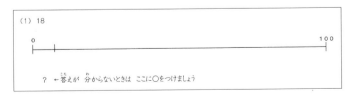

(2) 71

0   1 0 0
├──────┼──┤

?　←答えが　分からないときは　ここに○をつけましょう

大問2　小数・分数の大小関係

　大問2は小数と分数の大小関係を問う問題である。数の大小の比較も、子どもの数の概念のスキーマを理解する指標として有効であり、算数学力を予測するのに有効であることが知られている[3]。この問題では分数と小数に焦点を当て、2つの数の大小を比較することを求めた。

◉大問2（小数・分数の大小関係）の例

(1) $\frac{1}{3}$ と $\frac{2}{3}$ は、どちらが 大きいですか。大きい方に ○をつけましょう。

$\frac{1}{3}$　　　　　　$\frac{2}{3}$

?　←答えが　分からないときは　ここに○をつけましょう

(2) $\frac{1}{2}$ と $\frac{1}{3}$ は、どちらが 大きいですか。大きい方に ○をつけましょう。

$\frac{1}{2}$　　　　　　$\frac{1}{3}$

?　←答えが　分からないときは　ここに○をつけましょう

108

(8) $\frac{1}{2}$ と 0.7 は，どちらが 大きいですか。大きい方に ○をつけましょう。

$\frac{1}{2}$　　　　　　　0.7

?　←答えが 分からないときは ここに○をつけましょう

---

(10) 同じ 大きさの まるい ケーキを $\frac{1}{2}$ に切ったときと $\frac{1}{3}$ に切ったときでは，どちらが たくさん 食べることが できますか。たくさん 食べることが できる方に ○をつけましょう。

$\frac{1}{2}$ に切ったとき　　　　　　$\frac{1}{3}$ に切ったとき

?　←答えが 分からないときは ここに○をつけましょう

表4-2 は、この大問の学年ごとの平均と、学年内で3つの階層に分けたときのそれぞれの平均正答率を示している。ただ、この大問は、小問ごとに(つまり比較する2つの数によって)正答率が大きく異なるので、12問の平均正答率を見るよりも、小問ごとに見ていったほうがよい。

表4-3 を見ると、何が子どもにとって難しいのかがよくわかる。$\frac{1}{2}$ と $\frac{1}{3}$、0.5 と $\frac{1}{3}$、$\frac{1}{2}$ と 0.7 の正答率が特に低かった。学年・階層別に見ていくと、これらの問題は5年生でも下位層の子どもの正答率は50% を切る低さである。

逆に、$\frac{1}{3}$ と $\frac{2}{3}$、0.3 と 0.1、$\frac{2}{3}$ と $\frac{1}{2}$ はどの学年でもよくできていた。しかし、それは理解を反映してのことではない。よくできていた問題の数字ペアは、それぞれの小数、分数の大きさを考える必要がなく、1と2の大きい方、3と1の大きい方という考え方で正答ができるものである。$\frac{2}{3}$

表 4-2　大問 2（小数・分数の大小関係）の学年・階層別正答率

	全体平均	下位	中位	上位
3 年生	56.3%	44.7%	57.9%	68.1%
4 年生	70.3%	61.8%	69.1%	80.6%
5 年生	76.9%	66.5%	76.3%	88.7%

と $\frac{1}{2}$ の比較では、$\frac{2}{3}$ が分子の数字も分母の数字も $\frac{1}{2}$ より大きいので選び、それがたまたま正解だったということにすぎないと考えられる。

　この結果から、何が見えてくるだろうか。もちろん、**多くの子どもたちが、分数や小数の概念的な理解ができていない**ことがわかる。$\frac{1}{2}$, $\frac{1}{3}$, 0.5 など、日常生活でも頻繁に聞く数に対して、その意味が理解できないでいる子どもが多数いるのである。これは、正答できない子どもたちの努力が足りないと片づけてよい問題ではない。**分数・小数がいかに直感的に捉えどころがないものかを示すデータなのである。**

　アメリカではこのことにまつわる笑えない有名な話がある。ハンバーガー大手チェーン A 社の目玉商品のクォーターパウンダー（クォーターは $\frac{1}{4}$ なので、$\frac{1}{4}$ パウンドの重さのパテ）に対抗して、B 社が「わが社のハンバーガーは同じ値段で A 社のクォーターパウンダーよりおいしいだけでなく $\frac{1}{3}$ パウンドもある！」というキャンペーンを張った。しかし、キャンペーンは不成功だった。ハンバーガーの購買層の多くが、$\frac{1}{4}$ パウンドのほうが $\frac{1}{3}$ パウンドよりも量が多いと思ったことが原因だそうだ。ずいぶん前だが、日本でも『分数ができない大学生』という本がベストセラーになった[4]。日本でもアメリカでも、分数や小数の概念の難しさを教育者が理解したうえで、この概念の教え方の見直しをしなければならない。

大問 3　心的数直線上での小数・分数の相対的位置

　小学生の分数、小数の理解のしかたをさらに見ていくため、大問 3 では、大問 1 のように、小数、分数を 0 から 1 までのスケール上に位置づける問

表4-3　大問2（小数・分数の大小関係）の小問ごとの学年・階層別正答率

		小問1 $\frac{1}{3}$と$\frac{2}{3}$	小問2 $\frac{1}{2}$と$\frac{1}{3}$	小問3 $\frac{2}{3}$と$\frac{1}{2}$	小問4 0.3と0.1	小問5 1と0.9	小問6 1.5と2
3年生	全体平均	73.9%	17.6%	78.9%	88.7%	74.6%	78.2%
	上位	78.0%	34.1%	78.0%	92.7%	92.7%	97.6%
	中位	73.1%	15.4%	82.7%	92.3%	86.5%	88.5%
	下位	71.4%	6.1%	75.5%	81.6%	46.9%	51.0%
4年生	全体平均	96.3%	22.4%	94.0%	95.5%	94.0%	92.5%
	上位	97.7%	53.5%	88.4%	97.7%	100.0%	100.0%
	中位	95.6%	8.9%	95.6%	100.0%	95.6%	95.6%
	下位	95.7%	6.5%	97.8%	89.1%	87.0%	82.6%
5年生	全体平均	94.0%	49.7%	85.9%	96.6%	98.7%	99.3%
	上位	97.9%	74.5%	89.4%	100.0%	100.0%	100.0%
	中位	91.5%	55.3%	83.0%	93.6%	100.0%	100.0%
	下位	92.7%	23.6%	85.5%	96.4%	96.4%	98.2%

		小問7 0.5と$\frac{1}{3}$	小問8 $\frac{1}{2}$と0.7	小問9 0.2と$\frac{1}{2}$	小問10 $\frac{1}{2}$と$\frac{1}{3}$ i）	小問11 $\frac{1}{3}$と$\frac{2}{3}$ i）	小問12 $\frac{1}{3}$と$\frac{1}{4}$ i）
3年生	全体平均	23.9%	31.0%	73.2%	41.5%	59.9%	33.8%
	上位	29.3%	34.1%	78.0%	70.7%	65.9%	65.9%
	中位	17.3%	26.9%	75.0%	36.5%	69.2%	30.8%
	下位	26.5%	32.7%	67.3%	22.4%	44.9%	10.2%
4年生	全体平均	39.6%	50.7%	76.9%	59.7%	68.7%	53.0%
	上位	51.2%	58.1%	83.7%	88.4%	72.1%	76.7%
	中位	33.3%	46.7%	71.1%	64.4%	64.4%	57.8%
	下位	34.8%	47.8%	76.1%	28.3%	69.6%	26.1%
5年生	全体平均	42.3%	54.4%	82.6%	78.5%	71.8%	69.1%
	上位	61.7%	66.0%	91.5%	97.9%	89.4%	95.7%
	中位	42.6%	57.4%	78.7%	83.0%	63.8%	76.6%
	下位	25.5%	41.8%	78.2%	58.2%	63.6%	40.0%

ⅰ）小問10〜12は「ケーキの$\frac{1}{2}$こ分と$\frac{1}{3}$こ分ではどちらがたくさん食べることができますか」のような問題文になっている。

題を解いてもらった。小問の数は6問で、スケール上に 0.5, 0.8, 0.1, $\frac{1}{2}$, $\frac{9}{10}$, $\frac{2}{5}$ の位置を矢印で示すよう求めた。

●ある子どもの大問3（心的数直線上での小数・分数の相対的位置）の解答例

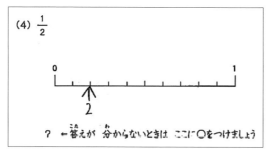

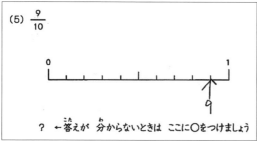

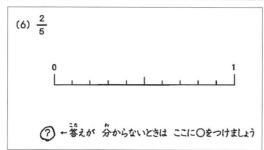

　表4-4 は、6問の小問すべてを合計した得点の学年ごとの全体平均と階層別平均を示したものである。全体的には3年生の正答率が低い。しかし、

表 4-4　大問 3（心的数直線上での小数・分数の相対的位置）の学年・階層別正答率

	全体平均	下位	中位	上位
3 年生	38.1%	19.4%	42.3%	62.6%
4 年生	59.7%	48.2%	59.6%	76.4%
5 年生	68.0%	57.8%	70.1%	82.6%

表 4-5　大問 3（心的数直線上での小数・分数の相対的位置）の小問ごとの学年・階層別正答率

		小問 1 0.5	小問 2 0.8	小問 3 0.1	小問 4 $\frac{1}{2}$	小問 5 $\frac{9}{10}$	小問 6 $\frac{2}{5}$
3 年生	全体平均	64.1%	62.7%	62.7%	15.5%	31.7%	4.9%
	上位	85.4%	85.4%	85.4%	43.9%	63.4%	12.2%
	中位	73.1%	71.2%	71.2%	7.7%	26.9%	3.9%
	下位	36.7%	34.7%	34.7%	0.0%	10.2%	0.0%
4 年生	全体平均	88.1%	85.8%	86.6%	26.1%	60.5%	19.4%
	上位	90.7%	90.7%	90.7%	58.1%	81.4%	46.5%
	中位	93.3%	86.7%	91.1%	13.3%	62.2%	11.1%
	下位	80.4%	80.4%	78.3%	8.7%	39.1%	2.2%
5 年生	全体平均	88.7%	88.0%	88.0%	46.0%	76.7%	31.3%
	上位	93.5%	93.5%	93.5%	76.1%	82.6%	56.5%
	中位	84.9%	84.9%	84.9%	47.2%	83.0%	35.9%
	下位	88.2%	86.3%	86.3%	17.7%	64.7%	3.9%

　大問 2 と同様、大問 3 も小問ごとに大きく正答率が異なっており、さらに、上、中、下位の層に分けたとき、4, 5 年生でも下位層では極端に正答率が低い数があった。**表 4-5** では小問ごとの学年・階層別の正答率を示している。

　小問 1〜3 と小問 4〜6 の間で正答率に大きな違いがあることがすぐにわかる。小問 1〜3 は小数で、小問 4〜6 は分数である。0 から 1 のスケール上で、0.1 ずつ目盛りが打ってあるので、小数のほうが 1 を 10 等分した 5

つ分／8つ分／1つ分であることがイメージしやすかったのだろう。それに比べ、分数は1をいくつに分割したうちのいくつ分であるかということがわかりにくいのである。この中で $\frac{9}{10}$ の正答率がもっとも高いが、これは、1を10に分割したうちの9だということが比較的わかりやすいからだろう。それに対し、$\frac{1}{2}$ は、日常生活の中で非常に頻繁に使われる数であるにもかかわらず、「ケーキ」のような具体的なモノが与えられないと、純粋に「数」として「1を基準にしたときにそれに対してどの割合の量なのか」という基本的な概念が理解できていないので、問題に正しく答えることができないのである。$\frac{2}{5}$ を正答するには1を5分割しなければならない。つまり0.1ずつ打ってある目盛り2つを1単位として、その2つ分にあたるから0から4つ目の目盛りに矢印を描くと正解であるが、この目盛り2つを1単位とする心の中の操作がこの問題を特に難しくしている。この操作は5年生の上位層の子どもでも約半分しかできないし、3年生では上位層でも12%にとどまっている。下位層では3年生で0%、4年生で2%台、5年生でも4%を切るという正答率の低さである。

　小数を数直線上に位置づける小問1〜3は、4,5年生では下位層の子どもでも正答できるのに対し、3年生の下位層は $\frac{1}{3}$ くらいの子どもしか正答できておらず、ここでも下位層と中・上位層の差が激しい。3年生ではいくら小数や分数の単元を算数で学習したとはいえ、「1」という概念をモノ1個に結びつけるバイアスがいまだに強い。その誤ったスキーマが障壁になり、1をさらに分割した小数や分数の概念の理解に苦しんでいるのではないかと考えられる。

まとめ

　「かんがえるたつじん①」は子どもたちが「数」という抽象的な概念をどのように捉えているのか、言い換えれば「数についてのスキーマ」を測った。

　大きなところでは、多くの子どもたちが、数についてのもっとも重要な

性質のひとつである**数の相対的な関係性を理解していない**ことがわかった。任意に与えられた数直線の上に与えられた数を位置づけることが、数の理解の程度をよく表すことが知られている[5]。この知見にもとづいて、大問1では0から100までのスケールで整数を、大問3では0から1までのスケールで小数・分数を、数直線上のだいたいの位置に位置づけられるかどうかを調べた。

この2つの問題で、子どもが解答用紙に書いた方略から、数について根本的に誤ったスキーマをもっていること、5年生でもその誤ったスキーマの修正ができていない子どもが看過できない割合でいることが読み取れた。

数の相対性を理解していない子どもは、数はモノを数えたり、測ったりするためのものだと思っている可能性が高い。大問1では、少なからぬ子ども(その多くは3年生)が定規を取り出し、18のときには18 mm、4のときは4 mm、23のときは23 mmのところに線を引いていた。同じようなことは大問3でも見られた。少なからぬ子どもたちが1目盛りを1 cmと考え、0.5→0.5 cm、0.8→0.8 cm、0.1→0.1 cmを定規で測ってそこに線を引くということをしており、また大問1で71を17 mmとしたように数を勝手に入れ替えてしまうという方略は、ここでも散見された。複数の子どもが、$\frac{1}{2}$を1.2として、定規で1.2 cmを測って線を引いたり、$\frac{2}{5}$を2.5あるいは5.2としたり、$\frac{9}{10}$を1.9あるいは9.9として、それぞれ定規を当てて線を引いていた。計算をしやすくするために数字を置き換えてしまうことは、算数文章題を解くときにもよく見られた。その誤りの根は「かんがえるたつじん①」で見られるのである。これは、**数の相対的な性質の不理解に加え、1.2は2.1と異なる数であるという、数についてのほんとうに基本的な性質について堅固な直観的理解をもっていないところに起因する**と考えられる。

数の大小関係を問う問題(大問2)は、数を相対的に捉えたうえで、比較のための共通の基準を自分で考え、大小の関係を判断することができるかどうかを測っている。

大問2からは、子どもが、**比較のために単位をそろえるという操作がとても苦手だ**ということがわかる。この問題を考えるうえで必須なのは、まず「1」ということばの理解である。「1」には、モノを数えるときに、1個ある、という意味で「イチ」を使う場合と、任意のモノの量を「1」として、それを分割したり、比較の基準にしたりするという意味の「イチ」がある。子どもは乳幼児期から個体のモノの数を数えるために数のことばを覚えるので、数のことばはモノの数のことだという誤ったスキーマをもっている。**このスキーマを修正しない限り、「基準としてのイチ」の意味を理解することは困難である。「基準としてのイチ」の意味を理解しない限り、小数、分数の概念を本質的に理解することはできない**のである。

　$\frac{1}{2}$、$\frac{1}{3}$ という数は、任意の量や数を「1」としたときに、それを均等に2分割あるいは3分割した量や数である。この「任意の」という概念と「均等」という概念がともに非常に抽象的で、子どもには捉えどころがなく、理解できないということも原因のひとつだろう。実際、小問2と小問10はどちらも $\frac{1}{2}$ と $\frac{1}{3}$ の大小を聞いているのだが、小問10のほうは、「丸いケーキが1つある」という文脈を与え、その $\frac{1}{2}$、$\frac{1}{3}$ という量の大小を聞いている。こうすると、文脈を与えずに純粋に2つの数の大小を問う小問2に比べ、ある程度正答率は上昇している。それでも3年生の正答率は50％に達していないが、これは「均等」の概念がしっかり理解できていないためかもしれない。ある子どもは、メロンパンを半分に割り、そのうちの半分をさらに半分に割ったもの(つまり元のパンの $\frac{1}{4}$)を、「3分の1」であると言った[6]。「3分の1」は「全体を均等に3分割したときの1つ」という、**大人にとっては当然の概念は子どもにとって当たり前ではない**のである。

　いずれにしても、**多くの子どもは、分数の分母と分子がそれぞれ何を表すのかが理解できていない**。分母にしろ、分子にしろ、より大きい数字を含んだ数が「大きい」と判断しているのである。$\frac{1}{3}$ と $\frac{2}{3}$ では下の数(分母)は同じ3でも、上の数(分子)は1より2のほうが大きいから $\frac{2}{3}$ が大き

いと判断し、それは正解になる。$\frac{2}{3}$ と $\frac{1}{2}$ では、$\frac{2}{3}$ が $\frac{1}{2}$ より下の数字も上の数字も大きいので $\frac{2}{3}$ を選び、それも正解になる。しかし、$\frac{1}{3}$ や $\frac{2}{3}$ という数だけを与えられたときに、ケーキなどの**具体的な例を自分で考えて、**半分が $\frac{1}{2}$、3つに分けたときの1つ分が $\frac{1}{3}$、その2つ分が $\frac{2}{3}$ だというイメージを自分で作ることができないのである。

　また、大問2,3の子どもの誤答からは、彼らが整数、小数、分数の概念をバラバラに理解していて、互いの関係づけがされていないことがわかる。第1章で、「生きた知識」はシステム化された知識であると述べた。**分数の単元で分数だけ、小数の単元で小数だけ勉強するという方式では、小数や分数の知識をシステム化することは難しい**だろう。小学生がシステムとしての数の概念を身につけるには、整数、小数、分数が関係づけられている必要があるのだ。学校現場では「概念のシステム化」を促すよう、単元の配置の仕方を考え直し、すでに学習した単元との関連づけを強調するような教え方を工夫するべきである。

4-3　「かんがえるたつじん②」——図形イメージの心的操作

　「かんがえるたつじん②」は図形の問題である。といっても、円、三角形、四角形などの図形の知識ではなく、心の中で操作して形のイメージを作れるかどうかを主眼としている。大問4は図形の一部を折ったときの形の展開をイメージする問題、大問5は一部が遮蔽されている図形の見えない部分を補ってイメージする問題、大問6は図形を心の中で回転させる問題である。これらは、情報を短期の記憶貯蔵庫で保持しながら操作する作業記憶と深く関わると想定される。

大問4　図形を折ったときのイメージ

●大問4（図形を折ったときのイメージ）の例

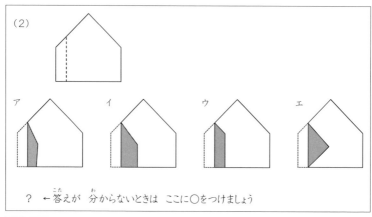

（2）

ア　イ　ウ　エ

? ←答えが 分からないときは ここに○をつけましょう

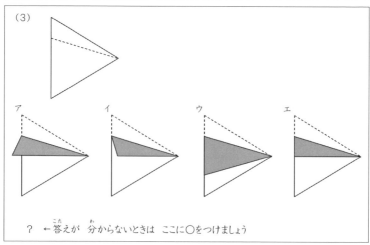

（3）

ア　イ　ウ　エ

? ←答えが 分からないときは ここに○をつけましょう

　表4-6は大問4（小問が5問）全体の学年ごとの正答率の平均と、上、中、下位の3階層別の平均正答率である。全体の傾向を見ると、3年生と4年生の間ではかなりの発達的な差異が見られるものの、4, 5年生ではほとん

表 4–6　大問 4（図形を折ったときのイメージ）の学年・階層別正答率

	全体平均	下位	中位	上位
3 年生	42.1%	27.5%	43.5%	58.1%
4 年生	58.1%	48.7%	52.4%	74.0%
5 年生	61.9%	47.6%	62.6%	76.2%

表 4–7　大問 4（図形を折ったときのイメージ）の小問 2, 3 の学年・階層別正答率

		小問 2	小問 3
3 年生	全体平均	66.9%	26.1%
	上位	90.2%	43.9%
	中位	75.0%	21.2%
	下位	38.8%	16.3%
4 年生	全体平均	88.1%	41.8%
	上位	95.4%	58.1%
	中位	84.4%	37.8%
	下位	84.8%	30.4%
5 年生	全体平均	92.7%	39.3%
	上位	100.0%	46.8%
	中位	94.3%	39.6%
	下位	84.0%	32.0%

ど違いがない。階層間でも差があるので、同学年の中で大きな個人差があることも見てとれる。

　小問によって正答率に大きな違いがあることもわかった。たとえば例としてあげた小問 2 と小問 3 の正答率は大きく異なっていた（**表 4–7**）。

　表 4–7 から小問 2 は全体的に正答率が高いことがわかる。誤答は選択肢アに集中していた。イは折った部分の分量が明らかに多すぎる（太すぎる）し、エは形が明らかに違うのですぐに排除できる。アは折られた分量がほぼ同じで、ウとの違いを見分けるのに多少の注意を向けなければならない。アは傾斜した部分の角度が深すぎるのと、見本ではまっすぐに折れ

目がついているのに、アでは下のほうが上よりも少し細くなっている。この問題でアを選んだ子どもは細かいところに注意を向けず、アとウを比較し、吟味することなくアを選んでしまったのではないかと思われる。このような行動は、ビジュアルイメージを作る弱さよりは、むしろ解答を注意深く吟味しようとするメタ認知が弱いことに起因すると考えられる。

　小問3は、全体的に正答率が低い。原因は多くの子どもが正解のアではなく、エを選んだことである。実際、3年生ではすべての階層で、エの選択がアの選択より多かった。5年生の上位層でもエの選択がアと同程度見られた。小問3では、折られる部分を心の中で折ってそのイメージを作るという心的操作が必要になり、ウ以外は折られる部分の分量も元の図形とそれほど違いがないために難しかったと思われる。特に3,4年生の下位層の子どもはこの操作が非常に苦手であることが見てとれた。5年生の上位層でも正答率は50%以下であるし、4年生の上位層のほうが5年生の上位層よりもむしろ正答率が高いことから、この能力は年齢とともに自然に発達するものでもないことが推察される。

　エを選択する誤答が多かったのは、折った部分の形が元の図形をはみ出すことへの抵抗があったためかもしれない。折った後の図形をイメージするには、まず明らかに違う選択肢を排除し、残った候補の中から正解を見つけるために、図形中のある特定の線の角度や長さに注目して、自分の作ったイメージと選択肢の図形を比較する方略が有効だが、このような方略を思いつけるか否かが正答できるかどうかに大きく影響を与えると考えられる。**方略を自分で考えられる能力自体が、複数のステップを踏んで問題解決をすることを求められる教科学力にも必要なのである。**もちろん**算数の文章題も然り**である。

大問5　図形の隠れた部分のイメージ

　大問5は、一部が遮蔽された図形の遮蔽された部分をイメージできるかを問う次のような問題を用意した。ここで例として示す3つの小問は、解

答傾向が大きく異なっており、細かく見ていくと、子どもの認知の発達と個人差の原因を推察する手がかりを与えてくれる。小問1はほとんどすべての子どもが正解できる。小問2は4,5年生には容易だが、3年生にはかなり難しい。小問5は5年生でもとても難しい。

●大問5（図形の隠れた部分のイメージ）の例

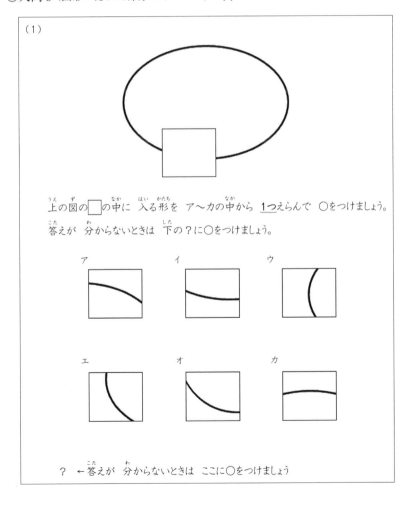

（2）

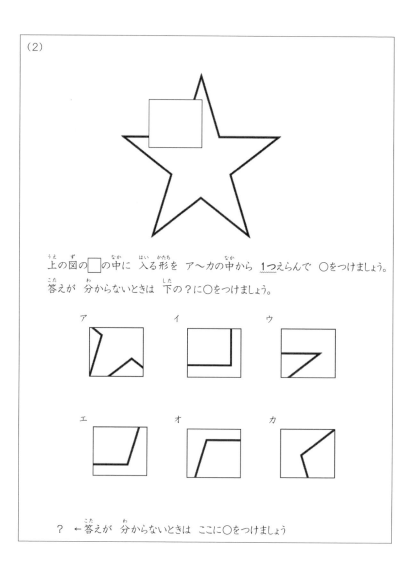

<ruby>上<rt>うえ</rt></ruby>の<ruby>図<rt>ず</rt></ruby>の ☐ の<ruby>中<rt>なか</rt></ruby>に　<ruby>入<rt>はい</rt></ruby>る<ruby>形<rt>かたち</rt></ruby>を　ア〜カの<ruby>中<rt>なか</rt></ruby>から　<u>1つ</u>えらんで　〇をつけましょう。
<ruby>答<rt>こた</rt></ruby>えが　<ruby>分<rt>わ</rt></ruby>からないときは　<ruby>下<rt>した</rt></ruby>の？に〇をつけましょう。

ア　　　　　　　　イ　　　　　　　　ウ

エ　　　　　　　　オ　　　　　　　　カ

？　←<ruby>答<rt>こた</rt></ruby>えが　<ruby>分<rt>わ</rt></ruby>からないときは　ここに〇をつけましょう

（5）

上の図の　□　の中に　入る形を　ア～カの中から　1つえらんで　○をつけましょう。
答えが　分からないときは　下の？に○をつけましょう。

ア　　　　　　　イ　　　　　　　ウ

エ　　　　　　　オ　　　　　　　カ

？　←答えが　分からないときは　ここに○をつけましょう

表4-8 大問5（図形の隠れた部分のイメージ）の学年・階層別正答率

	全体平均	下位	中位	上位
3年生	59.7%	44.9%	62.7%	73.7%
4年生	72.4%	59.1%	70.7%	88.4%
5年生	77.2%	64.8%	78.1%	89.4%

表4-9 大問5（図形の隠れた部分のイメージ）の小問1, 2, 5の学年・階層別正答率

		小問1	小問2	小問5
3年生	全体平均	88.0%	55.6%	35.2%
	上位	90.2%	73.2%	56.1%
	中位	96.2%	67.3%	27.0%
	下位	77.6%	28.6%	26.5%
4年生	全体平均	90.3%	73.9%	43.3%
	上位	97.7%	95.4%	62.8%
	中位	95.6%	73.3%	37.8%
	下位	78.3%	54.4%	30.4%
5年生	全体平均	98.0%	81.3%	47.3%
	上位	100.0%	89.4%	66.0%
	中位	98.1%	86.8%	45.3%
	下位	96.0%	68.0%	32.0%

　5問全体の学年ごとの平均を見てみると、全体的にはこの大問の平均正答率はそれほど低くはない（**表4-8**）。

　しかし、この問題も、問題ごとに正答率はかなり異なっていた（**表4-9**）。低学年の下位層の子どもでもよくできたのは小問1である。これに対して、小問2は、5年生では下位層でも比較的よくできているのに比べて、3, 4年生では下位層と上位層の差が大きい。特に3年生の下位層では非常に正答率が低く、ア、イ、カを選ぶ誤答が多かった。小問5は、全体的に正答率が低く、学年が上がってもそれほど正答率は上がっていない。

　このことから以下のことが考察できる。図形の見えている部分から図形

の全体像をイメージし、見えていない部分を補うことは、シンプルな図形なら小学校低学年でも容易にできる。小問2は大人から見ると非常に単純で、なぜこれが難しいのか理解できないかもしれない。隠れている部分にあるのは、小問1では連続した線だったのに対し、小問2では星形図形の2つのパーツの接合点であり、線がどの角度でどのように接合しているのかをイメージしなければならない。さらに選択肢ひとつひとつと照らし合わせてそのイメージと同じものを選ぶという心的操作は、小問1よりずいぶん認知的な負荷が高い。

　小問5で隠れている部分は、図形を構成する2つのパーツ(外に向かう矢羽根のような部分と中心部の六角形)の接合部分で、線が複雑に込み合っている。正解はウであるが、選択肢アとカはウによく似ている。複数の要素のそれぞれの連続性をイメージし、それを心の中で結合させて隠れた部分のイメージを作り、さらにそれを6つの選択肢のひとつひとつと照合していく操作は、3つのことを同時に行い、統合する必要があり、小問2よりさらに認知的な負荷が高い。

　このように、**ひとつひとつは普通の状況なら楽にできる心的操作が、複数のことを同時に処理しなければならない状況では、処理が破綻してしまい、その結果、問題解決に失敗してしまう**。これは小学校低学年の子どもで特に顕著に見られ、高学年でも下位層の子どもたちは頻繁に直面する問題なのである。

大問6　図形を回転させたときのイメージ

　大問6は、図形を心の中で回転させる課題だが、類推も含まれる。子どもには、見本(例)として、回転前と回転後の同じ図形が示される。問題では、見本と同じだけ図形を回転させたときの図形の見え方を選択肢から選ぶ。子どもは、まず「れい(例)」で、矢印の左側の図形の見え方から右側の図形の見え方になるのに何度回転をするかを心の中でシミュレーションしながら考える。そして、下にあるターゲットの図形を同じ角度回転させ

たときの見え方を心にイメージし、それと同じ見え方をしている選択肢を選ぶのである。

　大問6は5問の小問からなっている。この大問でも、小問によって正答率にばらつきが見られた。小問1はどの学年でも正答率が高く、小問4はどの学年でも低い問題である。

◉大問6（図形を回転させたときのイメージ）の例

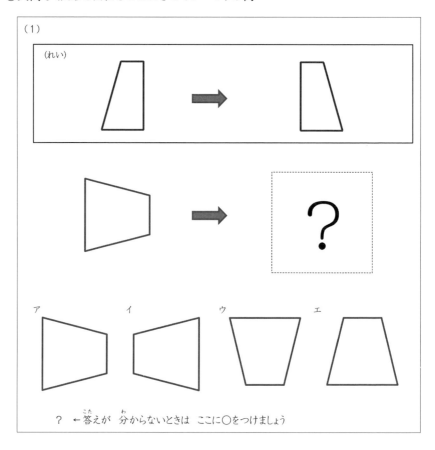

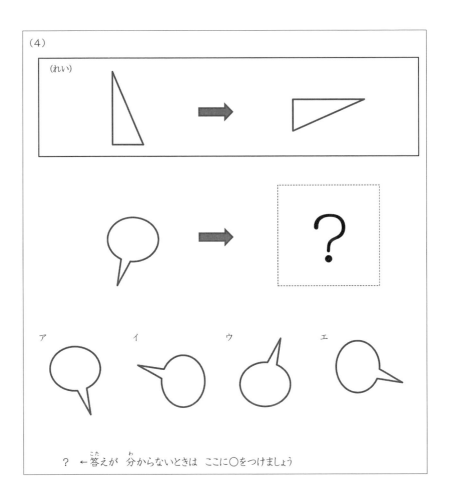

（4）

（れい）

? ← 答えが 分からないときは ここに○をつけましょう

　表4-10 は大問6（小問が5問）の平均正答率である。他の問題に比べて、学年が上がっても伸びがそれほど大きくない。特に、下位層の子どもたちは学年が上がっても伸びが見られない。4, 5 年生の下位層の子どもは、3 年生の上位層よりも正答率が低いことも注目するべきである。別の言い方をすれば、発達の違いよりも、上、中、下位の階層の間の違いのほうが大きいことが見てとれる。

表 4-10 大問 6（図形を回転させたときのイメージ）の学年・階層別正答率

	全体平均	下位	中位	上位
3 年生	50.1%	37.6%	48.1%	67.8%
4 年生	61.2%	43.5%	60.0%	81.4%
5 年生	67.6%	48.8%	70.9%	83.8%

表 4-11 大問 6（図形を回転させたときのイメージ）の小問 1, 4 の学年・階層別正答率

		小問 1	小問 4
3 年生	全体平均	**78.9%**	**27.5%**
	上位	95.1%	56.1%
	中位	82.7%	19.3%
	下位	61.2%	12.2%
4 年生	全体平均	**84.3%**	**43.3%**
	上位	95.4%	81.4%
	中位	86.9%	35.6%
	下位	71.7%	15.2%
5 年生	全体平均	**89.3%**	**48.7%**
	上位	95.7%	80.9%
	中位	90.6%	52.8%
	下位	82.0%	14.0%

　次に全体的に正答率が高かった小問 1 と全体的に低かった小問 4 の学年別、階層別の平均を**表 4-11** に示す。

　小問 1 は四角形の右側の縦直線を軸にして反転させたもので、この回転は図形全体を回転させるよりも、認知的な負荷が小さいので、全体的に正答率が高いのだろう。下位層に着目すると、学年が上がるとともに 10 ポイントくらいずつ正答率が上昇している。

　それに対して小問 4 では、まず、「れい（例）」の矢印の左側と右側を比べて、三角形全体を 90 度時計回りに回転させた変化であることを見つけ、90 度回転であることを作業記憶にとどめておきながら、下の図の 90 度回

転を心の中でシミュレーションする必要がある。このような認知的な負荷が高い問題では上位層の正答率が突出して高くなっており、下位層はもとより中位層とも大きく差をつけている。

　この結果を見て、上位層の子どももともと認知能力が優れているから「かんがえるたつじん」のどの問題もよくできて上位層に入っていると考え、図形の回転をイメージする能力は生まれつき（遺伝によって）決められていると考えられる方がいるかもしれない。しかし、正答している子どもの解答を見ると、図形の一部に補助線を引き、その補助線が回転後にどの位置にくるかを考えて答えを選択している（以下の正答例を参照）。

　図形全体を心の中で回転させていくのは認知的な負荷が高い。それを軽減するために補助線を引いて認知的な負荷を軽減させることによって正解の図形イを選ぶことができるのである。言い換えれば、**上位層の子どもは図形の回転に認知的な負荷が高いのを見抜き、負荷を軽減するための方略を自分で考えることができたので、正解できたのである。問題解決のために自分で方略を考えることがどの問題でもでき、難易度が高い問題でも、高い割合で正答することができる。それが上位層の子どもの特徴といえるだろう。**

●大問6（図形を回転させたときのイメージ）の正答例

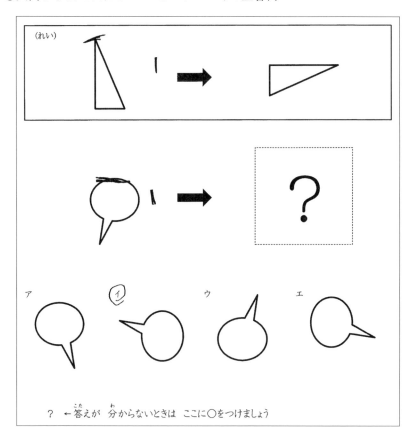

まとめ

「かんがえるたつじん②」は、図形の一部を折ったり（大問4）、遮蔽したり（大問5）、回転させたり（大問6）したときに、折った後の形をイメージしたり、隠された部分を復元して全体の形をイメージしたり、回転後の形のイメージを作ったりすることを求めた。「かんがえるたつじん①」が、数の概念のスキーマを測る課題だったのに対し、②は認知能力、特に短期の

130

記憶貯蔵庫で情報を保持しながら操作する認知能力（一般的にこれを作業記憶という）を測る目的でデザインされた。どの大問でも、問題で求められる心的操作が複雑になると認知的な負荷が大きくなり、正答率が大きく下がることが示された。

　「かんがえるたつじん②」は、2つの大事なことを教えてくれた。ひとつは、どのような教科、あるいはどのような状況にしろ、子どもに問題を与えるときに、その問題の要求する認知的な負荷を考慮すべきであるということである。ある問題の正答率が全体的に非常に低かったとき、その理由として、その問題を解くのに必要な概念や手続きを十分に学習できていなかったことも考えるべきだが、複数の操作を同時に行わなければならなかったため、子どもにとって認知的な負荷が大きすぎたということも考えられる。

　福山市で行った算数文章題テストの中に「ケーキを4こずつ入れたはこを、1人に2はこずつ3人にくばります。ケーキは、全部で何こいりますか」という問題（「必要ケーキ数問題」）があった。すでに述べたことだが、この問題は、4×2×3＝24個で計算自体はシンプルである。しかし、少なからぬ子どもが4×2＝8という式を書き、8という答えを書いていた。問題文の前半の式を立て、答えを出しているうちに、文章の後半の「3人に配ります」を忘れてしまったのだろう。もちろん、この問題のように複数のステップを踏むことを要求する問題を子どもたちに出してはいけない、ということではない。子どもたちには複雑な問題を分割したり、複数の段階を踏んで解くことができるようになってほしい。ただ、目の前の子どもが、複数ステップを要する複雑な問題に手こずっていたら、問題全体を図示し、分割するよう助言するなど、適切な指示を与えるべきである。

　大問4～6が教えてくれることの2点目は、認知処理の限界を乗り越えるために必要なのは、脳のハードウェアの性能なのかという問題である。「かんがえるたつじん②」のような問題は、いわゆる知能テストで「流動性（非言語性）知能」を測る問題に似たものが見られることから、3つの大

問で見られた個人差は、生まれつき備わった「知能」、あるいは短期の記憶貯蔵庫の容量や効率性によると考える人もいるだろう。このような考えでは、上位層の子どもたちは、生まれつき情報の貯蔵や処理のための性能の高いハードウェアをもっていると受け止められるだろう。

　しかし、「かんがえるたつじん②」で認知的な負荷が高く、全体の正答率が低い問題を正答している子どもたちは、認知的な負荷が高くなったときにそれを軽減するための工夫をしていたことが解答から見てとれた。複数の認知処理を並行して行ったり、複数の処理を統合するときに、記憶をつなぎとめたり認知処理を軽減するための工夫をしないと、認知の処理能力の限界がきて、心の中で行う操作が破綻してしまう。

　先に述べたように、大問6で多くの子どもが誤答した問題に正答できた子どもたちは、自分で補助線を引いて注目する点を決め、その点が回転後のどの位置にあるかを考えることで認知的な負荷を軽減させていた。先ほどの「必要ケーキ数問題」でも、正答できた子どもは、ケーキが4個入った箱の絵を3つ書いて、まず、問題文を図に置き換え、その図を見ながら式を立てていた。

　結局、**認知的な負荷が高い問題に正答できる子どもたちは、複数の情報を並行して処理できる高性能の脳のハードウェア(記憶貯蔵庫)をもっているから正答できるわけではなく、認知的な負荷を軽減するための方法を自分で見いだしながら、一時にできる情報処理容量の限界をコントロールすることができる能力をもっているのである**。この見解は、記憶術の達人の研究からも支持される。

　認知科学者で熟達者の特徴や熟達への成長過程を研究してきたアンダース・エリクソンは、ボランティアの協力者にそれ自体では無意味な情報(たとえば無意味な数字列や知らない顔と名前の組み合わせ)を一度に大量に覚えるようになるための訓練を行った。協力者たちは、訓練開始時には特に記憶力がよいわけではなかった。毎日集中してトレーニングを続けた結果、記憶力選手権などで上位に入る記憶の達人に成長した。このトレーニング

で、エリクソンの役割は認知科学の知見にもとづいた訓練のしかたをときどき教えたり、参考になる文献を渡してあげたりする「コーチ」であった。記憶力選手権で上位に入賞する力をつけた協力者は自分に合った方法を自分で考え試しながら達人になったのである[7]。

　課題に応じた方略を工夫することができる能力は、学校での教科でも重要である。**この能力が低い子どもの多くは、**さまざまな教科において、**問題解決に必要なパーツはできていても、少し問題が複雑になってパーツを組み合わせたり統合したりしなければならなくなると行き詰まってしまい、問題が解けない事態になってしまう**のである。言い換えれば、（逆）数唱課題のように作業記憶容量だけを測ることに特化した単純問題を大量に与えて**記憶容量や情報処理のスピードが速くなるような訓練をするよりも、認知的な負荷を軽減できるような方法を自ら状況に合わせて見いだせるようになるための支援をしたほうが有効である**ということだ。

4-4　「かんがえるたつじん③」──推論の力

　学ぶためには推論が欠かせない。すでにもっている知識と、テキストに書かれている情報、だれかが話している情報など外から入ってくる情報を、推論によって行間を埋めながら統合させる。その結果が記憶される。その記憶が断片でなく、その人がすでにもっている知識のシステムの一部になって、システムがアップデートされる。このサイクルが実行されたとき、「生きた知識」につながる学習がされたということである。推論は学習の要である。「かんがえるたつじん②」で扱った認知の処理能力は推論を支えるために必要なものである。

　「かんがえるたつじん③」は推論する能力を測る。「かんがえるたつじん③」も、3つの大問から構成されている。大問7は、推移性推論を扱う。この推論は、部分的に与えられた情報をつなげて、複数の項の部分的な大小関係から、与えられていない項の大小関係を論理的に推論し、項の間の

全体の関係の構造を組み立てることを求めるものである。

　類推は学びにもっとも関係が深い推論である。実際、認知科学では、類推の能力が学力を高く予測することが、膨大な数の研究によって示されている[8]。私たちは日常的に、新しい分野の問題を解決しようとするとき、よく知っている分野の知識をベースに推論するからである。大問8と大問9はどちらも類推を扱うが、推論をするときの認知能力の使われ方が少し異なっている。大問8は数、形、配置など複数の次元に注目しながら類推を行う能力、大問9は実行機能を使いながら問題で求められた関係のみに注目し、その他の関係性への注意を抑えながら類推を行う能力を測るようデザインされた。

　以下、大問ごとに問題例とそこで必要な認知能力を解説しながら結果を報告していこう。

大問7　推移性推論

　大問7は推移性推論の力を測るものとしてデザインされた。AはBより大きい（A＞B）、BはCより大きい（B＞C）という大小関係が与えられたとき、A, B, Cの3つの間の大小関係がA＞B＞Cであることを理解し、AのほうがCよりも大きいということを推論する力のことである。たとえば小問2では、ひし形が正方形よりも重く、また星形よりも重いから、3つの中でひし形がいちばん重いはずである、星形と正方形を比べると、星形のほうが重いから、2番目に重いのは星形である、という推論が求められる。全体の順番を決めるためにはどれとどれの比較が大事かに気づけるかがポイントになる。ここでは、重さを比較するモノが3つある小問2と、4つある小問4を例として提示する。

●大問7（推移性推論）の例

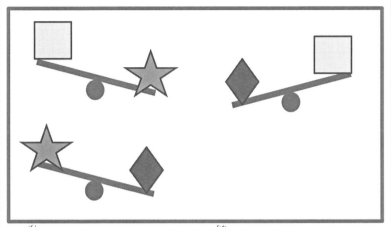

（2）おもさを くらべましょう。

答えが 分からないときは 下の？に○をつけましょう。

1　1番 おもい かたちは どれになるか ア～ウの中から 1つえらんで ○をつけましょう。

？　←答えが 分からないときは ここに○をつけましょう

2　2番目に おもい かたちは どれになるか ア～ウの中から 1つえらんで ○をつけましょう。

？　←答えが 分からないときは ここに○をつけましょう

(4)おもさを くらべましょう。

答えが 分からないときは 下の？に〇をつけましょう。

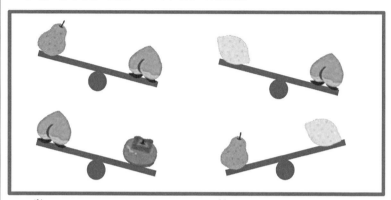

1 <u>1番 おもい</u> くだものは どれになるか ア〜エの中から 1つえらんで 〇をつけましょう。

ア　　　　　　　イ　　　　　　　ウ　　　　　　　エ

？ ←答えが 分からないときは ここに〇をつけましょう

2 <u>2番目に おもい</u> くだものは どれになるか ア〜エの中から 1つえらんで 〇をつけましょう。

ア　　　　　　　イ　　　　　　　ウ　　　　　　　エ

？ ←答えが 分からないときは ここに〇をつけましょう

3 <u>1番 かるい</u> くだものは どれになるか ア〜エの中から 1つえらんで 〇をつけましょう。

ア　　　　　　　イ　　　　　　　ウ　　　　　　　エ

？ ←答えが 分からないときは ここに〇をつけましょう

表 4-12　大問 7（推移性推論）の学年・階層別正答率

	全体平均	下位	中位	上位
3 年生	64.0%	41.0%	69.1%	85.2%
4 年生	76.1%	59.1%	78.2%	92.1%
5 年生	83.2%	61.8%	93.4%	94.3%

　3, 4, 5 年生の、大問 7（小問が 5 問）の平均を見てみると、3 年生では正答率が 64%、5 年生では 83% なので、まずまずの出来のように見える（**表4-12**）。また、学年が上がるにつれ正答率は少しずつ（7〜12 ポイントくらい）向上している。しかし、上位、中位、下位の階層別に見ていくと、下位層と上位層の差が大きいことに気づく。上位層では 3 年生でも正答率が 85% を超えている。それに対して、5 年生の下位層は 3 年生の上位層に及ばない。上位層は 3 年生でもほぼ完璧に正答できる。中位層の子どもは、学年が上がると着実に正答率が上がっている。対して下位層は、学年が上がってもあまり伸びず、正答率が低空飛行のままなのである。

　大問 7 でも、小問によって正答率に大きなばらつきが見られた。小問 2 と小問 4 では全体の正答率はもとより、上位、中位、下位層の間で正答率に大きな違いが見られた。**表 4-13** は小問 2, 4 の学年・階層別の正答率を示している。小問 2, 4 の正答率の違いは何に由来するのだろうか？

　小問 2 は対象が 3 つで重さを比べるペアは 3 組である。ひし形は正方形、星形と比べたときに、どちらよりも重いから、3 つの中でいちばん重いことがわかる。残る正方形と星形のどちらが重いかは、直接比較したものが描かれているので、すぐわかる。このようなシンプルな推論でも、3 年生の下位層の子どもは、中位、上位の子どもと大きく異なり、半数が正答できないが、4, 5 年生になると下位層でも正答率は 70% を超える。

　それに対して、小問 4 では 4 種類のモノが登場するので、比較しなければならないペアが多くなる。桃は梨、レモンより重いが、その桃より柿が重いから、柿がいちばん重い。次に重いのが桃だ。レモンと梨を比べると

表4-13　大問7（推移性推論）の小問2, 4の学年・階層別正答率

		小問2		小問4		
		問1	問2	問1	問2	問3
3年生	全体平均	76.8%	82.4%	46.5%	45.8%	67.6%
	上位	92.7%	95.1%	80.5%	68.3%	85.4%
	中位	88.5%	92.3%	53.9%	50.0%	76.9%
	下位	53.0%	61.0%	10.2%	22.5%	42.9%
4年生	全体平均	88.3%	85.1%	57.0%	55.6%	76.1%
	上位	97.7%	95.4%	86.1%	83.7%	95.4%
	中位	91.1%	89.0%	62.2%	60.0%	91.1%
	下位	76.1%	71.7%	34.8%	34.8%	56.5%
5年生	全体平均	87.3%	92.0%	71.3%	72.0%	86.7%
	上位	93.6%	93.6%	89.4%	89.4%	95.7%
	中位	96.2%	96.2%	86.8%	86.8%	94.3%
	下位	72.0%	86.0%	34.0%	40.0%	70.0%

梨のほうが重いから3番目が梨で、4番目に重い、つまりいちばん軽いのがレモンだ、というように、推論する。推論のしかた自体は小問2と変わらないが、小問4はどっちがどっちより重いという関係を4つ並行して確認しなければならないので、小問2より認知処理の負荷が高くなる。

　この認知処理の負荷が正答率の分布に大きく影響していることが**表4-13**からわかる。小問4では、学年が上がることによる正答率の上昇よりも、階層の違いが顕著に見られる。上位層では、3年生でも80%を超える正答率を示しているのに、下位層では正答率が極端に低く、階層間の差が際立っている。また、中位層は学年が上がると上昇し、高位層に追いついてくるのに、下位層では学年が上がっても上昇率が小さいことも読み取れる。

大問8　複数次元の変化を伴う類推

　大問8は類推の問題である。どのような推論も、純粋に推論能力だけを

取り出すことはできない。推論をするためには情報の操作を心の中で行う必要がある。大問8では、数、形、配置など複数の次元が同時に変化するので、それぞれの次元に注目し、どの次元がどのように変化しているのかを心の中で操作しなければならない。その意味で、推論の種類は異なるものの、大問7と共通するところもある。また、複数次元の規則を統合して類推することを求めるという点で、大問8は非言語的な認知能力を測るテストとして有名なレイブン行列テストと似ている（第1章参照）。

以下に示した小問1を見てほしい。アからイに変化する見本が示されている。小問1では変化するのは図形の数と配置の2つの次元である。上の図形も下の図形も数が2倍になり、元の図形の下に同じ数だけ同じ図形が配置されている。この変化の規則をウ→エにあてはめ、エにくるはずの図を1〜4の選択肢から選ぶのである。

小問4になると次元数が増え、数、形、配置の3つの次元を同時に考慮しなければならない。選択問題の他に、自分で答えを描かせる小問も含めた（小問5, 6）。問題の構造は選択問題と同じで、エの部分を自分で埋めるようになっている。選択問題は正解を1点、自分で描く問題（産出問題）は、それぞれの対象の変化がそれぞれの次元で正しく描けていれば各1点を与える採点方法とした。以下の報告では、満点を百分率に直して報告する。

●大問8（複数次元の変化を伴う類推）の例

（1）つぎのアの図を イの図のように かえました。

　かえかたには きまりが あります。そのきまりを つかって ウの図を かえると
どうなりますか。エの〔﹏〕に当てはまる 図を 次の1〜4の中から
1つえらんで ○をかきましょう。
答えが 分からないときは 下の？に○をつけましょう。

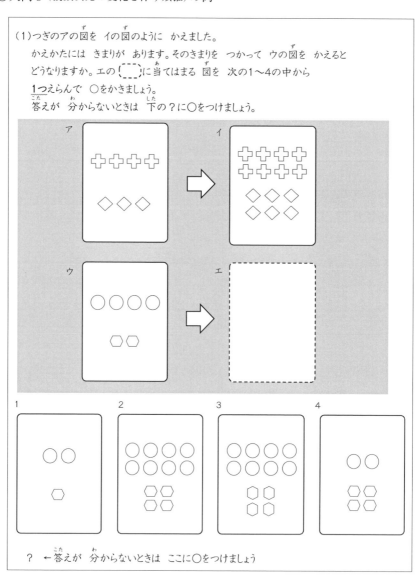

？ ←答えが 分からないときは ここに○をつけましょう

(4)つぎのアの図を イの図のように かえました。

　かえかたには きまりが あります。そのきまりを つかって ウの図を かえると

どうなりますか。エの〔＿＿〕に当てはまる 図を 次の1〜4の中から

1つえらんで ○をかきましょう。

答えが 分からないときは 下の？に○をつけましょう。

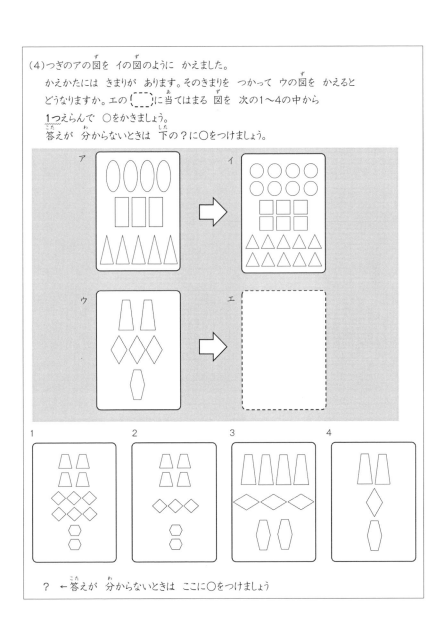

？ ←答えが 分からないときは ここに○をつけましょう

表 4-14 大問 8（複数次元の変化を伴う類推）の学年・階層別正答率

	全体平均	下位	中位	上位
3 年生	58.9%	28.2%	70.2%	81.2%
4 年生	70.8%	43.7%	80.0%	90.2%
5 年生	77.4%	58.8%	80.0%	94.3%

表 4-15 大問 8（複数次元の変化を伴う類推）の小問 1, 4 の学年・階層別正答率

		小問 1	小問 4
3 年生	全体平均	**69.0%**	**57.8%**
	上位	85.4%	80.5%
	中位	76.9%	69.2%
	下位	46.9%	26.5%
4 年生	全体平均	**77.5%**	**65.5%**
	上位	95.4%	93.0%
	中位	91.1%	77.8%
	下位	60.9%	45.7%
5 年生	全体平均	**79.3%**	**82.0%**
	上位	93.6%	97.9%
	中位	83.0%	84.9%
	下位	62.0%	64.0%

　まず、大問 8（小問が 6 問）の平均正答率を学年・階層別に**表 4-14** に示す。次に注目次元が 2 つの小問 1 と、3 つの小問 4 の正答率を見ていこう（**表 4-15**）。大問 8 の類推問題でも大問 6 や大問 7 と似た傾向が見られた。次元数が多くなり、認知処理の負荷が高くなると、低学年の下位層が正答率を大きく低下させるのである。この問題では特にこの傾向が顕著だった。どの学年でも上位層は次元数が増えても正答率は変わらない。中位層は 3, 4 年生が多少影響を受けるが 5 年生では影響を受けない。

　選択肢がなく、子どもたちが自分で答えを描く形式の問題はどうだろうか？　**表 4-16** は減点なく答えられた子どもの割合である。全体的な傾向

表 4-16　大問 8（複数次元の変化を伴う類推）の小問 5 の学年・階層別完全正答率

	全体平均	下位	中位	上位
3 年生	48.6%	20.4%	50.0%	80.5%
4 年生	47.2%	19.6%	57.8%	74.4%
5 年生	70.7%	36.0%	79.3%	97.9%

は小問 4 と同じだが、5 年生でも下位層では正答率が低く、上位層との差が際立って大きいことが違いである。自分で答えを描く問題は選択肢から選ぶ問題よりも、さらに認知的な負荷が高くなる。5 年生でも下位層の子どもはその負荷に耐え切れなくなり、正答できなくなるということなのだろう。

　以下に示すのは小問 5 の誤答例である。この問題では、数が半分になり、形が縦に長くなり、配置が 1 列になるという変化の規則を見つけ、その規則を適用してウを変化させることが求められている。この解答を描いた子どもは、数の変化について、上 2 つの図形では対処できたものの、最後の列の△ではそれができなくなっている。また、形の変化も描けていない。解答の途中で 3 つの図形の変化を並行して考える認知処理が追いつかなくなってしまった例である。

●大問 8（複数次元の変化を伴う類推）の小問 5 の誤答例

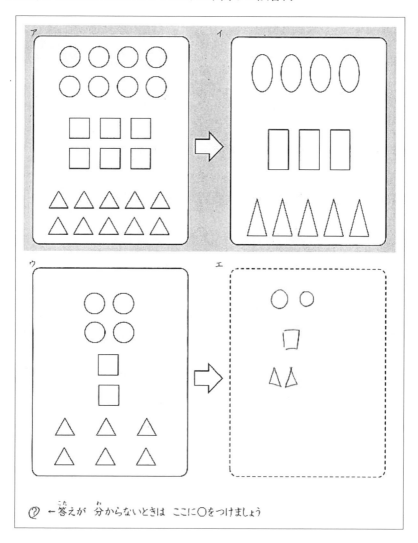

大問 9　実行機能を伴う拡張的類推

　大問 9 も大問 8 と同様に類推を扱うテストであるが、問題の形式は大問 8 と大きく異なっている。この問題では、見本 (例) が示され、2 つの関係するモノのペアが示されている。子どもは、さまざまなモノが描かれた絵の中から、見本と同じ関係にあるモノのペアを見つけ、矢印で結ぶ。問題文の中で、矢印で結ぶペアの数が指定されている。また、矢印の向きも見本と同じにするように指示されている。

　従来の子ども用の類推の課題は

インク (A)：ペン (B)

を与えて

ペンキ (C)：? (D)

という形で、空欄の (D) を考えるものがほとんどだった。

　しかし、本来、学習の場面では、自分のもっている知識のどれが問題解決に使えるのかを思いつくことのほうがむしろ大事である。(C) を与えることは直面している問題を解決するのにこれが役立つよ、と教えられることに等しいが、現実の場面では (C) も自分で考えられないと問題を解決できない。そこで「かんがえるたつじん③」の最後の大問では、見本の関係と同じ関係をもつペアとして (C) も (D) も自分で探す問題を考案した。「ウォーリーをさがせ！」に着想を得て、いろいろなモノをちりばめ、そこから (C) と (D) を探す課題である。

　この課題では、類推の推論を行うときに**実行機能**がとても重要な役割を果たす。すでに述べたことであるが、実行機能とは、注意の抑制や必要に応じた切り替えを実行する能力である。小問 1 の図を見てほしい。見本のペアの関係は (A) が切る道具、(B) が切られる対象である。しかし、答えを探す図の中には、(A)→(B) の関係とは違う関係があるペアが潜んでいる。たとえば木に対して、鳥と葉っぱはとても関係が深いし、糸と針、リンゴと皿は関係がある。小問 1 に正答するには、**見本のペアの関係に気づくと同時に、見本のペアの関係ではない関係への注意を抑制することも求**

められる。しかし、そのためには、**見本のペアの関係をつねに短期の記憶貯蔵庫に置いておきながら、注目したペアと見本のペアが同一の関係なのか、矢印の方向性も同じになっているかを確認することが必要である。**

　大問9は、問題の理解自体が低学年の子どもには難しいかもしれないので問題文の理解を助けるために、まず答え付きの練習問題が示され、子どもたちは問題を解く練習をしながら問題で求められていることを理解するようにした。

●大問9（実行機能を伴う拡張的類推）の練習問題と答え

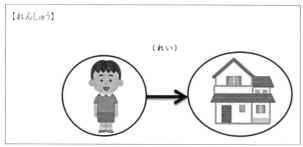

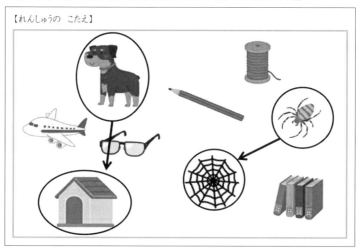

さらに、大問9では、小問ごとに見本のペアの関係性が変わる。

●大問9（実行機能を伴う拡張的類推）の例

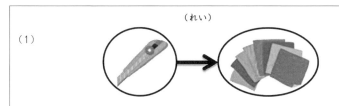

（れい）

（1）

下の絵には　上の(れい)のように　つながりのあるものが　3つあります。

3つさがして　(れい)のように　こたえましょう。

矢じるしの　むきにも　ちゅういして　こたえましょう。

答えが　分からないときは　下の？に〇をつけましょう。

？　←答えが　分からないときは　ここに〇をつけましょう

（4）

（れい）

下にある ことばには 上の（れい）のように つながりのあるものが 4つあります。

4つさがして （れい）のように こたえましょう。

矢じるしの むきにも ちゅういして こたえましょう。

答えが 分からないときは 下の？に〇をつけましょう。

にんじん

はたけ

どうぶつ

せんろ

チューリップ

うさぎ

やさい

水

のりもの

ケーキ

花

でんしゃ

たいよう

？ ←答えが 分からないときは ここに〇をつけましょう

表 4-17　大問 9（実行機能を伴う拡張的類推）の学年・階層別正答率

	全体平均	下位	中位	上位
3 年生	34.1%	15.9%	30.8%	60.1%
4 年生	40.7%	13.1%	40.1%	70.8%
5 年生	53.2%	26.8%	55.5%	78.6%

　小問 1 は「切る道具→切られる対象」、小問 2 は「成長前→成長後」、小問 3 は「モノとそれが保管される、あるいは帰属する場所」、小問 4 は「モノのカテゴリーの包含関係（ウサギ→動物のように A が B のカテゴリーに含まれる）」という関係性を扱う。子どもは、前の小問で扱った関係から、今の小問の見本の関係へ注意を切り替えなければならない。この**状況に即した注意の切り替えの能力も実行機能の重要な働きのひとつである**。小問 1, 2 はモノをイラストで表し、小問 3, 4 はことばで表した。

　大問 9（小問が 4 問）は以下の基準で採点している。**表 4-17** では、各小問の得点を足し合わせ、計 4 問の満点（6＋8＋8＋8＝30 点）で割った百分率で正答率を示した。

［大問 9 の採点方法］
- 組み合わせ（ペア）と矢印の向きが両方とも合っていれば 2 点
- 組み合わせのみ合っていて矢印の向きが違っていれば 1 点
- 余分な組み合わせがあれば 2 点減点（ただし最低点 0 点よりは減点しない）

　この大問 9 は、他の大問に比べ、全体的に正答率が低い。下位層の子どもだけでなく、中位層の子どもにもかなり難しいようだ。これは、大問 9 が複数の思考の工程を要し、さらに、注意の抑制と柔軟な切り替えを同時に要求する複雑な問題のためであると考えられる。大問 9 は他の大問と異なり、小問によって認知的な負荷が低いものと高いものがあるわけではなく、認知的な負荷はどの問題も高いので、どの小問でも、完全正答できた子どもは少なかった。

●大問9（実行機能を伴う拡張的類推）の誤答例1：求められている関係性への注意が他の関係性の気づきに負けてしまった。

　この解答を描いた子どもは上位層に属し、正答率がかなり高かったが、それでも3つのペアのうち1つは、針と糸という結びつきの強い関係に惑わされ、ハサミのかわりに針を選んでしまった。

●大問9（実行機能を伴う拡張的類推）の誤答例2：求められる関係性を短期記憶に保持できず、他の関係性をもつペアを線で結んでしまう。

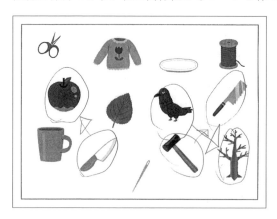

この子どもは、ナイフとリンゴの関係は正しく矢印で結ぶことができた
が、木は結びつきが強い鳥に惑わされ、ノコギリは道具である金槌と結ん
でしまっている。たぶん最初にナイフとリンゴを矢印で結んだあと、見本
の関係を短期記憶で保持できなくなり、他の結びつきが強い関係に注意を
移してしまったのだろう。

●大問9（実行機能を伴う拡張的類推）の誤答例3：モノ同士の異なる関係性
　にいろいろ気がつき、すべてを矢印で結んでしまっている。

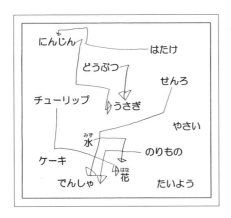

　これは小問4の誤答例である。この子どもは、「どうぶつ」と「うさぎ」、
「チューリップ」と「花」、「のりもの」と「でんしゃ」を結んでいる。し
かし、矢印の向きが逆になっている。また、「でんしゃ」と「せんろ」、
「水」と「花」、「にんじん」と「うさぎ」、「にんじん」と「はたけ」も結
んでしまっている。モノ同士の異なる関係にそれぞれ気がつき、すべてを
矢印で結んでしまっている。求められている関係だけに注目し、それ以外
の関係への注目を抑えることができていないのである。

まとめ

「かんがえるたつじん③」は学力の要となる推論力を測るために作成された。大問7は、**部分的な情報を論理的に組み立てて全体の構造を推論によって理解する能力**、大問8は**複数次元に同時に注目して類推を行う能力**を測る問題である。大問9も類推を扱うが、見本の関係と同じ関係をたくさんのモノがちりばめられた中から複数選ぶことを求めるもので、求められている関係以外への注意を抑制し、同時に、大問ごとに変わる関係に柔軟に切り替えることも求められている。言い換えれば、**複数の認知能力を統合して類推を行う能力**を測る問題である。**大問7と大問8はどちらかというと分析能力を重視し、大問9は統合・拡張の能力を重視した問題**であるともいえる。

3つの大問すべてで示されたのは、**推論力は認知能力と切り離せない**ということである。たとえば大問7において、子どもは推移性推論ができないわけではない。大問7の小問2のように認知処理の負荷が小さければ、この推論はできる。しかし、**認知的な負荷が大きくなると、負荷を軽減する工夫をしながら推論できる子どもと、負荷に負けて推論が止まってしまう子どもに分かれてしまう**のである。「かんがえるたつじん②」では、認知的な負荷が大きくなると下位層と中位、上位層の差が顕著になり、下位層の正答率は学年が上がっても伸びないというパターンが見られた。ここでもまったく同じ現象が見られたのである。

大問8は、複数の項目の情報を保持しながら心の操作を行う大問7と共通している部分がある。実際、3, 4, 5年生に実施した調査結果のパターンは大問7と大問8で類似していた。どちらのテストでも、認知的な負荷が小さいときには子どもたちは正しく推論を行うことができるが、負荷が大きくなると推論過程の途中で、並行して行った操作の統合ができなくなる。そしてその傾向は、認知処理の制御がうまくできない低学年の下位層にもっとも顕著に表れていることがこの大問でも追認された。

大問9は、作業記憶と注意の抑制と切り替えを同時に働かせ、知識を統

表 4–18 「かんがえるたつじん」大問 1〜9 の得点と算数文章題テスト得点の相関

		かんがえるたつじん①			かんがえるたつじん②			かんがえるたつじん③			算数文章題テスト
		大問1	大問2	大問3	大問4	大問5	大問6	大問7	大問8	大問9	
かんがえるたつじん①	大問1										
	大問2	0.47									
	大問3	0.51	0.58								
かんがえるたつじん②	大問4	0.37	0.34	0.35							
	大問5	0.38	0.33	0.31	0.44						
	大問6	0.38	0.38	0.38	0.39	0.42					
かんがえるたつじん③	大問7	0.40	0.37	0.32	0.36	0.39	0.41				
	大問8	0.46	0.44	0.42	0.41	0.44	0.45	0.48			
	大問9	0.34	0.42	0.36	0.37	0.36	0.44	0.38	0.47		
算数文章題テスト		0.43	0.44	0.43	0.37	0.37	0.39	0.41	0.48	0.42	

合・拡張することを求める複雑な問題で、小学校低学年、特に下位層の子どもたちには難易度が高いことがわかった。しかし、**実世界での問題解決では、大問 9 のように、複数の認知能力を駆使し、すでにもっている知識を推論によって拡張することを求められているのである。**

4–5 「かんがえるたつじん」と学力の関係

福山市調査の結果

「かんがえるたつじん」は学力とどの程度関係しているのだろうか？**表 4–18** は大問 1〜9 の各得点と福山市算数文章題テストの合計得点の相関を示している。この表では、3 学年のデータはいっしょにして相関係数を計算した。表の最後の行が、それぞれの大問と算数文章題テストの得点との相関係数である。

9 つの大問の中では、大問 8 が算数文章題テストともっとも相関が高く、次に高いのが大問 2 である。比較的相関が低いのが大問 4〜6 で、これは

表4-19 「かんがえるたつじん」得点と算数文章題テスト得点の相関(学年別)

	かんがえる たつじん①	かんがえる たつじん②	かんがえる たつじん③
算数文章題テスト　3年生	0.52***	0.45***	0.55***
算数文章題テスト　4年生	0.57***	0.57***	0.61***
算数文章題テスト　5年生	0.47***	0.40***	0.41***

*** p <.001

「かんがえるたつじん②」(図形イメージの心的操作)にあたる。図形イメージの心的操作は「かんがえるたつじん」の中では単一の認知機能を取り出して流動性知能を測る知能テストの問題にもっとも近い。それに対して、「かんがえるたつじん①」の数についてのスキーマや「かんがえるたつじん③」の推論の問題は、知識と複数の認知能力の統合を必要とする問題である。②と算数文章題テストの相関が①③より相対的に低かったことは、流動性知能テストよりも統合を必要とするテストのほうが算数学力との関係が強いことの表れといえよう。この点については第5章の統計分析でさらに検討していく。

　次に、「かんがえるたつじん」①(大問1~3)、②(大問4~6)、③(大問7~9)のそれぞれの得点と、算数文章題テストの得点との相関を学年別に示す(**表4-19**)。①②③のいずれとも相関が高いので、それぞれが学力と関わっていることがわかる。しかし①と③に比べて②は少し相関が低いことと、3,4年生のほうが5年生より若干相関が高いことがわかる。この点についても第5章でより細かく解釈していく。

広島県調査の結果

　今度は、小学2年生のみを対象に行った広島県調査の結果を見てみよう(**表4-20**)。繰り返しになるが、広島県調査は(福山市は含まない)広島県下の3つの小学校の2年生約200人を対象に学年末に行った。この調査では第2学年の学習内容を総括した国語と算数の標準学力テストを学力の指標

表4-20 「かんがえるたつじん」得点と標準学力テスト（国語・算数）得点の相関（2年生）

	かんがえるたつじん①	かんがえるたつじん②	かんがえるたつじん③
標準学力テスト・国語	0.29***	0.38***	0.57***
標準学力テスト・算数	0.36***	0.50***	0.61***

*** p < .001

とした。「かんがえるたつじん①②③」のそれぞれの得点と国語・算数学力との相関は、統計的には有意で、この種の研究の中ではかなり高い。その中で、国語学力に対しても算数学力に対しても突出して相関が高いのが、推論力を測る「かんがえるたつじん③」である。学校で教科の学習をしていくうえで、推論、特に、知識、作業記憶、実行機能を統合して知識を拡張する性質の推論が非常に大事であるということが、この結果からも如実に示されている。

調査結果のさらなる吟味に向けて

ここまで、「ことばのたつじん」と「かんがえるたつじん」のそれぞれの大問と調査結果を紹介し、小学2〜5年生の学力、思考力、知識について考察してきた。広島県調査と福山市調査の両方で、2つのテストが学力にかなり強く関係していることが示された。ただし、広島県調査と福山市調査では「学力」の指標が異なり、対象学年も異なる。

次章では「ことばのたつじん」と「かんがえるたつじん」が測る力が互いにどのように関係し、学力を支えているのかについて、統計分析の結果を報告する。その結果も踏まえて、学力の基盤となる力は何か、学習のつまずきの原因は何かという問いについて、第6章でさらに深く考察していく。ただし、第5章は大学レベルの統計の知識を必要とする。統計の勉強をしたことがない、統計的な考え方になじみがないという読者は第5章を読み飛ばして、続く第6章に進んでも差し支えない。

第**5**章

「ことばのたつじん」「かんがえるたつじん」
と学力の関係
──統計分析

　本章では、「ことばのたつじん」と「かんがえるたつじん」の各要素が
どの程度学力と関係があるかを統計的に分析した結果を報告する。その前
に、統計に対する著者たちの考えを述べておきたい。

　統計は科学にとって欠かせない道具である。しかし、私たちは統計の結
果だけが主張を確立する手段だとは考えていないし、統計結果だけが「科
学的エビデンス」であるとも考えていない。唐突だが、英語で evidence
という単語は不可算名詞である。日本語では証拠(正確には事実・証拠物件
なのだが、「証拠」と言うことがよくある)を1点とか1件と言い、「数多くの
証拠がある」などと言うので、証拠は数えられるという気がするのだが、
なぜ英語では不可算名詞なのだろうか?　英語で evidence というのは、
単体の事実や物件ではなく、事実あるいは証拠物件の集積である。事実や
物件は結論を導くための断片(ピース)であり、ピースを論理的に蓋然性が
高い結論に導くためにつなぎ合わせる。つまり、結論を導くために論理に
よってつなぎ合わせられた断片の集合体が evidence である。**統計結果は、
結論を導くためのピースのひとつにすぎない。統計結果自体が「科学的な
エビデンス」ではない**のである。

　もちろん統計結果を軽視するということではない。しかし、**調査なり実
験なりのデータを統計分析した結果と結論の間には必ず「解釈」という過
程がある。**そのときに、**統計分析の限界を知らずに、また、学力の指標と
なるテストや説明変数の吟味を徹底的にせずに、数字だけで解釈をし、結
論を導くことは危険**ですらある。

とはいえ、社会科学における統計分析の役割、限界や解釈上の注意について述べることは本書の目的ではないので、本章では、まず著者たちが行った分析結果を報告し、そこから解釈できることを述べる。そして続く第6章で、第4章までに行ってきた質的な分析・考察と本章の統計の結果を統合し、認知科学におけるこれまでの知見と照らし合わせながら、「学習の困難の原因」について考察していきたい。

ちなみに、心理学に関連する研究における重回帰分析の使い方や限界、結果の解釈における諸問題については、日本心理学会が刊行する学術誌『心理学研究』に発表された吉田・村井(2021)をぜひお読みいただきたい[1]。

5-1　算数文章題テストを学力の指標とした重回帰分析

まず、2020年10月に3, 4, 5年生を対象に福山市で行った算数文章題テストを学力の指標とした場合について、「ことばのたつじん」の「①語彙の深さと広さ」「②空間・時間のことばの運用」「③動作のことばの運用」、「かんがえるたつじん」の「①整数、分数、小数のスキーマ」「②図形イメージの心的操作」「③推論」のどれが学力を説明するかを重回帰分析で検討した。

重回帰分析は、複数の説明変数(独立変数ともいう)の中でどの説明変数が被説明変数をどの程度説明するかを数学的に検討する分析である。本研究では、被説明変数の間に互いに相関があるので、それぞれの変数のモデルへのユニークな貢献(他の要因と重複しない分散)の度合いを算出した。

3, 4年生は同じ文章題を解いたので1つのモデルで検討したが、5年生は文章題の問題が一部異なるので別のモデルで分析した。一番右の列は算数文章題とそれぞれの説明変数の間の単純な相関係数を示している。その左の標準偏回帰係数が、重回帰モデルにおいて被説明変数を説明する際の各変数の貢献の度合いを表している[2]。***は0.1%の水準でその標準

表 5–1 「ことばのたつじん」「かんがえるたつじん」得点を説明変数にした
算数文章題テスト得点に対する重回帰モデル(3, 4 年生)

	標準偏回帰係数	相関係数
ことばのたつじん① 語彙の深さと広さ	0.08	0.55***
ことばのたつじん② 空間・時間のことばの運用	0.32***	0.63***
ことばのたつじん③ 動作のことばの運用	− 0.04	0.38***
かんがえるたつじん① 整数、分数、小数のスキーマ	0.21***	0.57***
かんがえるたつじん② 図形イメージの心的操作	0.07	0.54***
かんがえるたつじん③ 推論	0.22***	0.60***
R^2	0.49	
F(6,251)	43.67	

*** $p < .001$

偏回帰係数が有意であること(この要因による傾きが 0 であること——被説明変数の説明に対してその要因の貢献がまったくないこと——は確率的にほぼありえないこと)を示している。

3, 4 年生モデル(表 5–1)と 5 年生モデル(表 5–2)ともに、「ことばのたつじん」では、「②空間・時間のことばの運用」が算数文章題テスト得点の説明に大きく貢献している一方、「①語彙の深さと広さ」と、「③動作のことばの運用」は有意な貢献が認められなかった。

「かんがえるたつじん」は、3, 4 年生モデルでは「①整数、分数、小数のスキーマ」と「③推論」が算数文章題テスト得点の説明に貢献していることが認められたが、5 年生モデルで統計的に有意な貢献が認められたのは「①整数、分数、小数のスキーマ」のみであった。

2 つの「たつじんテスト」の算数文章題を解く能力への説明力は、5 年生よりも 3, 4 年生のほうが強いといえる。3, 4 年生モデルの表 5–1 と 5 年

表5-2 「ことばのたつじん」「かんがえるたつじん」得点を説明変数にした
算数文章題テスト得点に対する重回帰モデル（5年生）

	標準偏回帰係数	相関係数
ことばのたつじん① 語彙の深さと広さ	0.08	0.44***
ことばのたつじん② 空間・時間のことばの運用	0.19*	0.46***
ことばのたつじん③ 動作のことばの運用	0.01	0.3***
かんがえるたつじん① 整数、分数、小数のスキーマ	0.35***	0.47***
かんがえるたつじん② 図形イメージの心的操作	0.11	0.39***
かんがえるたつじん③ 推論	0.11	0.41***
R^2	0.35	
F(6,128)	13.19	

* p < .05, *** p < .001

生モデルの**表5-2**を比べると、「ことばのたつじん」と「かんがえるたつ
じん」の算数文章題テスト得点を説明するモデル適合度は、3, 4年生モデ
ルのほうが5年生モデルよりも高い（3, 4年生モデルのR二乗値（R^2）0.49に対
して、5年生モデルでは0.35である）。もともと広島県調査では2年生に照準
を合わせていたので、5年生では中位、上位層の差が小さくなり、全体の
ばらつきが小さくなったことが原因だと考えられる。

　しかし、第4章までの質的なデータの考察で述べてきたように、5年生
でも多くの問題で下位層と中位、上位層の間の差は大きく、5年生でも学
力に伸び悩む子どもたちのつまずきの原因を見てとるには「ことばのたつ
じん」「かんがえるたつじん」ともに有効である。実際、5年生のモデル
のR二乗値も十分に説明力があると判断できる水準になっている。

　表5-1, 5-2ではそれぞれの変数の重回帰モデルの標準偏回帰係数の他
に、算数文章題テストの得点との単純な相関係数を示している。「ことば

表5-3 「ことばのたつじん」「かんがえるたつじん」得点と
算数文章題テスト得点との学年別相関

	ことばのたつじん			かんがえるたつじん		
	①	②	③	①	②	③
3年生	0.49***	0.58***	0.34***	0.52***	0.45***	0.55***
4年生	0.58***	0.67***	0.35***	0.57***	0.57***	0.61***
5年生	0.44***	0.47***	0.30***	0.47***	0.40***	0.41***

*** $p < .001$

のたつじん①」(語彙の深さと広さ)「ことばのたつじん③」(動作のことばの運
用)と「かんがえるたつじん②」(図形イメージの心的操作)は、算数文章題テ
スト得点への有意な説明力がないという結果となっているが、相関がまっ
たくないわけではない。**表3-22**と**表4-19**で示したように、「ことばの
たつじん①②③」「かんがえるたつじん①②③」のそれぞれすべてが、算
数文章題テスト得点と高く相関している。しかし、**表5-3**を見ると「こ
とばのたつじん②」や「かんがえるたつじん①③」が算数文章題テスト得
点との相関が高いので、これらが先にモデルに投入されてしまい、そのた
めそれらと共通の分散を差し引くと、単独での寄与が少なくなってしまう
のである。

5-2 標準学力テストを学力の指標とした重回帰分析

次に2021年2, 3月に2年生199人を対象に行った広島県調査の重回帰
分析の結果を報告しよう(**表5-4**)。広島県調査では、学年末に行うA社の
標準学力テストの国語と算数を「学力」の指標とした。このテストは2年
生で学習した単元を総合的に含めた標準学力テストである。

「学力」の指標が学年末標準学力テストに変わっても、「ことばのたつじ
ん」と「かんがえるたつじん」が学力を説明する適合度は高い。特に算数
テスト得点のR二乗値は0.64になっており、非常に高いといえる。

表5-4 「ことばのたつじん」「かんがえるたつじん」得点を説明変数にした
標準学力テスト（国語、算数）得点に対する重回帰モデル

	標準学力テスト・国語		標準学力テスト・算数	
	標準偏回帰係数	相関係数	標準偏回帰係数	相関係数
ことばのたつじん① 語彙の深さと広さ	0.06	0.56***	− 0.05	0.57***
ことばのたつじん② 空間・時間のことばの運用	0.28***	0.62***	0.53***	0.75***
ことばのたつじん③ 動作のことばの運用	0.27***	0.55***	0.09	0.47***
かんがえるたつじん① 整数、分数、小数のスキーマ	0.04	0.29***	0.05	0.36***
かんがえるたつじん② 図形イメージの心的操作	− 0.01	0.38***	0.11**	0.50***
かんがえるたつじん③ 推論	0.30***	0.57***	0.27***	0.61***
R^2	0.52		0.64	
国語：F(6,191)　算数：F(6,192)	36.33***		57.67***	

** p<.01, *** p<.001

　国語テスト得点を有意に説明するのは、「ことばのたつじん②」（空間・時間のことばの運用）と「ことばのたつじん③」（動作のことばの運用）、「かんがえるたつじん③」（推論）であった。「ことばのたつじん③」（動作のことばの運用）は、算数テスト得点の説明力は低いが、国語テスト得点では有意な説明変数になっている点は、注目すべきである。

　算数テスト得点の説明をするモデルでは、「ことばのたつじん②」（空間・時間のことばの運用）の寄与がさらに高く、「ことばのたつじん①③」は有意になっていない。「かんがえるたつじん③」（推論）が算数テスト得点を説明する強力な説明変数になっているところは福山市調査と同じだが、福山市調査と異なり、ここでは「かんがえるたつじん②」（図形イメージの心的操作）も有意な説明変数となっている。

　重回帰分析の結果の解釈を助けるために、**表5-4**では「ことばのたつ

表 5-5　広島県調査における「ことばのたつじん①②③」
「かんがえるたつじん①②③」の相関

		ことばのたつじん			かんがえるたつじん		
		①	②	③	①	②	③
ことばのたつじん	①						
	②	0.68***					
	③	0.52***	0.53***				
かんがえるたつじん	①	0.36***	0.37***	0.14*			
	②	0.47***	0.45***	0.25***	0.29***		
	③	0.53***	0.50***	0.34***	0.31***	0.53***	

* p < .05,　*** p < .001

じん①②③」「かんがえるたつじん①②③」のそれぞれと、国語テスト、
算数テストの間の単純な相関係数を標準偏回帰係数の右に記した。ここで
も、相関はどれも高い(すべて統計的に強く有意な水準)。その中で、「ことば
のたつじん②」(空間・時間のことばの運用)と「かんがえるたつじん③」(推
論)と、国語、算数テストとの相関が特に高いので、重回帰モデルではそ
れ以外が有意な説明変数として残らなくなってしまっている。たとえば
「ことばのたつじん①」と「ことばのたつじん②」の相関は 0.68 と非常に
高いので(表 5-5)、「ことばのたつじん②」が重回帰モデルに先に入ると、
「ことばのたつじん①」は学力に対する独自の寄与が小さくなり、有意な
説明変数としてモデルに含まれなくなってしまっているのだろう。

5-3　重回帰分析からの考察

　本章の冒頭で述べたように、本章で報告した重回帰分析、相関分析の結
果はそれ自体では「学習のつまずきの原因は何か」という問いに答えるこ
とはできないが、分析の結果は「ことばのたつじん」「かんがえるたつじ
ん」が、どのような資質・能力を測っているのかを教えてくれると同時に、

従来の言語能力や知能を測るテストの限界に対して示唆を与えてくれている。

　言語能力が学力に深い関わりをもっているということは広く受け入れられていることであり、行動経済学や認知発達心理学の多くの研究でその考えは支持されている[3]。しかし、そこで想定されている「言語能力」は、ほとんどが語彙のサイズ（どれだけ多くのことばを知っているか、頻度の低い、日常生活では使わないことばをどれだけ多く知っているか）であった。しかし、「ことばのたつじん」調査は、3〜5年生を対象にした算数文章題テストでも、2年生対象の標準学力テストの国語・算数でも、「語彙の深さと広さ」よりも、「空間・時間のことばの運用」のほうが頑健に「学力」を説明することを示したのである。このことは、さまざまな教育場面で当たり前に使われている「言語能力」の考え方を見直す必要があることを示している。

　「かんがえるたつじん」でもっとも頑健に学力を説明していたのは「推論」であった。第4章で述べたように、「かんがえるたつじん③」は3つの大問から構成されている。大問7は部分的な情報を論理的につなぎ合わせて、直接提示されていない要素の間の大小関係を推論し、全体の大小関係を論理的に構築する問題である。大問8は、見本に示されたアからイへの変化の規則性を抽出し、同じ規則をウに適用してエを予測する類推の問題であるが、変化には、数、形、配置など複数の次元の変化が含まれているので、それぞれの次元の変化を統合する認知処理が必要になる。大問9も類推を扱うが、見本で示されたモノのペアの関係性を作業記憶に貯蔵し、同じ関係のペアを探すと同時に、問題で求められていない関係でつながるペアに注目しないようにコントロールするという複雑な認知処理を必要とする類推である。

　3つの大問は、教科で学習する知識は特段必要としないが、複雑な認知処理を行いながら推論の力を駆使して問題解決をすることを要求するので、学力への説明力が高いことは納得できる。また、この力は算数テストのみならず、国語テストの得点にも説明力が高いことは注目すべきである。

「かんがえるたつじん③」は「かんがえるたつじん②」と特に相関が高い。どちらのテストでも、同時に複数の情報操作をする際の短期記憶内の情報のハンドリングや不必要な情報への注目を抑えながら重要な情報のみに注意を向ける認知機能が重要な役割を担っているからだろう。②と③では、②のほうが流動性知能を測る知能テストに近いが、実際に学力との相関がより高いのは③の推論テストだったことは重要なポイントのひとつである。

　伝統的な心理測定の考え方では、他の要因と重複しない「純粋な」知能の要素を取り出すテストをよい心理テストと考え、それらの項目を足し合わせた合計得点がその人の「知的能力」であると考えていた。そしてその「知的能力」が学力を強く説明できると想定していたのである。しかし、実際には、そのような知能テストや認知能力テストは、学力と統計的に有意な関係(相関あるいは重回帰分析における標準偏回帰係数)は認められても、統計値はそれほど高いものでないことがほとんどである[4]。それはなぜかといえば、**学力とは下位能力や知識の単純な足し算で構成されるものではない**からである。

　学校の教科の学習を含めて、重要な事柄についての知識を問題解決に使うことができ、新たな知識を生むことができる「生きた知識」として学習するためには、すでにもっている知識を推論によって拡張する過程が欠かせない。言い換えれば、学力は、知識、知識や外界の情報を心の中で操作する認知の力、そして認知の力で制御されながら行う推論力の3本の柱から成り立っている。単純に情報操作をする力だけを測る流動性知能テストよりも、3本の柱をバランスよく使うことを求める「かんがえるたつじん③」のほうが学力を説明する力が高いのはある意味で当たり前であるし、学びのつまずきの原因を見極めるのにも、より多くのヒントを教師に与えてくれるはずである。

　算数の学力(算数文章題を解く力)には、「かんがえるたつじん①」で扱っている、整数、分数、小数に対するスキーマが深く関連していることが3,

表5-6　算数学力テストの階層別に見た「かんがえるたつじん①③」平均正答率

		かんがえるたつじん平均正答率	
		①	③
算数学力テストの階層	上位	60.2%	64.8%
	中位	52.8%	48.9%
	下位	47.7%	35.8%

表5-7　算数学力テストの階層別に見た算数学力テスト得点と
「かんがえるたつじん①」得点の相関

		相関係数
算数学力テストの階層	上位	0.13
	中位	0.37
	下位	0.25

4, 5年生を対象にした福山市調査では示された。ただし、2年生が対象の広島県調査においては、「かんがえるたつじん①」は算数の学力テストの得点への有意な説明変数とは認められなかった。

　しかし、この結果だけで「かんがえるたつじん①」が2年生の算数学力の説明に役立たないという結論を導くことはできない。「かんがえるたつじん①」が広島県調査で統計的に有意な説明変数にならなかった理由としては、このテストが2年生には難しすぎて、いわゆる床効果(floor effect)が生まれたためかもしれないという可能性が考えられる。この可能性をさらに検討するために、調査に参加した子どもたちを、算数学力テストの得点をもとに上位、中位、下位の3つのグループに分けた。これまでの階層別の分析では、「かんがえるたつじん」や「ことばのたつじん」の正答率をもとに上、中、下位の階層に分けていたが、今回は逆に算数学力テストのほうで階層分けをして、それぞれの階層で「かんがえるたつじん①③」の平均正答率を出し(**表5-6**)、同時に、階層別に「かんがえるたつじん①」と算数学力テストの相関を計算してみた(**表5-7**)。

表5-6は算数学力テスト階層別の「かんがえるたつじん①③」の平均正答率であるが、①は③に比べて階層間の差が小さく、したがって算数学力テストとの相関が小さいことに納得がいく。しかし、**表5-7**を見ると、全体の相関係数の低さは上位層の相関の低さに影響されているようである。つまり、相関の低さは、必ずしも「かんがえるたつじん①」が2年生にとって難しすぎたからではなく、「かんがえるたつじん①」の数についてのスキーマは、標準学力テストで上位層の子どもの間で分散が小さかったことに起因するようである。

　このように、重回帰分析や一般線形モデルなどの統計モデルにおいて、ある説明変数が有意な貢献をしない場合、その変数をそれだけで「貢献がない」と切り捨てるべきではない。統計分析の結果は、説明変数として用いたテストが子どもの発達段階に合っていないことによるかもしれないし、独立変数として用いた学力テストが、「学力」の指標として不十分だったことが原因かもしれない。**問題解決をする力を問わずに比較的表層的な知識の有無を問うことを主眼としたテストは「学力テスト」と銘打っていても、ほんとうに「学力」を測っているのかどうかということこそ見直すべきである。**

　逆に、1つのサンプルを対象にした1回の調査の重回帰分析や一般線形モデルの結果で、それぞれの説明変数や学力の指標となる独立変数の中身を詳細に検討せずに、ある説明変数が統計的に有意であるということだけで「科学的なエビデンス」と主張し、「学力には○○が鍵となる」、あるいは「○○が学力をつくる」とまで言い切るようなことはしてはならない。**学力とはひとつのテスト、ひとつの指標で表すことができるほど単純なものではない。**

　今回の調査では、2年生から5年生という、小学校の低学年から高学年にまたがる年齢層の子どもを対象にし、読解力、教科で学習した算数知識、そして認知能力を総合して問題を解く力、すなわち「もてる知識と認知能力を統合する力」と考えられる算数文章題テストの得点をひとつの学力の

指標とし、他方で、2年生だけではあるが、一般的に「学力」とみなされる国語と算数の標準学力テストの得点をもうひとつの学力の指標として用いた。どちらの指標を用いても、どの学年においても、「ことばのたつじん②」の空間・時間ことばが頑健に学力を説明したことは本調査のもっとも重要な知見であり、「真のことばの力とは何か」「学力とは何か」という問題を考えるうえでも深い示唆を与える結果であると考える。「ことばのたつじん②」がなぜこのように頑健に学力との関係性を示したのかについては、次の第6章で考察したい。

　伝統的な心理学では、知的能力(あるいは学習能力)を測定し、学力を予測するテストバッテリーを作る際には、因子分析を行い、互いの相関がない、あるいは少ない項目群を独立因子として設定し、それぞれの因子内では同じ能力を測定し、異なる因子間では異なる能力を測定するテストが「よいテスト」と見なされている。しかし、そのようにして互いに関係しない、独立した能力を取り出してそれらを集積したら、ほんとうに子どもの学力や知的能力が測れるのか、というのは甚だ疑問である。算数に限らず、どの教科でも、複雑な問題を解決する能力には必ず共通の認知能力や推論能力が求められるからである。**学力とは「使えない知識(死んだ知識)」をたくさんもっていることではなく、新たな情報を認知能力と推論能力を駆使して自分がすでにもっている知識の体系に組み込み、統合し、拡張することである。**

　そのような学習観に立脚すれば、作業記憶能力や実行機能など特定の認知能力だけ、あるいは推論能力だけを知識と独立に取り出して測ってもあまり意味がないということになるだろう。実際、無意味数字を何桁まで覚えられるか、あるいは提示された項目を遡っていくつ思い出せるかなどの作業記憶課題やストループ課題のような実行機能課題など、より純粋な形で認知能力を測るとされている課題を説明変数に用いると、学力を説明する力は、一貫しないか、有意であるものの、説明力は低いという結果が多い[5]。Hawes et al.(2015)は、視覚空間能力を向上させるようなトレーニ

ングが数学の成績に転移するという証拠は得られなかったことを報告し、Karbach et al.(2015)は、ワーキングメモリーを向上させるようなトレーニングの効果は標準的な数学のテストの成績を向上させなかったことを示している [6]。

　「ことばのたつじん」「かんがえるたつじん」は学力テストと異なり、特定の学年の教科単元の学習の有無に依存せず、小学2年生くらいまでの生活、遊び、読書などで培われた知識(スキーマ)や認知能力、推論能力を測るために開発されたテストなので、対象学年は特に限定しないが、それぞれの学年における学力との関わり方は大問によって異なることは十分予想できることである。たとえば「動作のことばの運用」は、動作語彙の豊富さ、それぞれの単語を取り巻く類義語との区別、文法知識と語彙知識との統合を測ることを目的に作られたが、ターゲットの動詞はどれも日常的なことばなので、高学年よりも低学年のほうが国語学力に対する予想力は高いだろう。「かんがえるたつじん①」も、非常に基本的な数のスキーマを測るために作成されたので、高学年では、中位層、上位層では天井効果が生じてしまい、学力の説明力は低くなると当初考えていたが、福山市調査では、5年生の算数文章題テストの得点に対して統計的に有意な説明力が示された一方で、広島県調査では、2年生の算数学力テストで有意な説明変数に含まれなかった。**整数、小数、分数のスキーマの発達過程と学力との関係は、今後さらに深く研究し、さらに明らかにしていかなければならない課題**のひとつだろう。

　ただし、これまで繰り返し述べてきたように、「ことばのたつじん」「かんがえるたつじん」は個人の知的能力を順位づけ、学年内でどのくらいの位置にあるかを決める材料にするために作られたのではない。子ども一人ひとりが、ことばや数についてどのような理解のしかたをしているのか、小学校で学習する各教科で複雑な問題を解決するための基盤の能力をそれぞれの子どもがどの程度有しているか、複雑な問題解決ができない子どもの問題点がどこにあるかなどを明らかにし、指導の手立てを考える材料と

することが開発の目的である。その意味で、将来（入学後）の学力をなるべく少ない項目で予測したいという入学試験とは考え方が大きく異なっている。**それぞれの大問の子どもの解答から子どもの知識や認知能力、推論能力を見てとるほうが、総合得点を見るよりもずっと大事で有益なのである。**たとえば「動作のことばの運用」の「学力」に対する説明力を気にするより、学力に伸び悩む目の前のひとりの子どもが、果たして日常的な動詞の使い分けができ、文法の知識との統合ができているかを、その子どもの解答から見てとってほしい。合計得点からはそれは見えないが、その子どもの「動作のことばの運用」の解答用紙を見れば、それが見えてくるはずである。そして、ひいては、その子どもが「ことば」に対してどのくらい感受性をもち、国語の授業はもとより、他の科目の授業や読書、日常生活の中でどのくらい、どのようにことばを学んでいるのかという、その子どもの姿がなんとなくイメージできてくると思う。

　統計結果を教育の目的に使うときに忘れてならないことがある。それは、**統計は目の前のひとりの子どもの特徴の理解には役に立たない**ということである[7]。統計はたしかに、クラスの何％くらいの子どもがこの問題が解けるだろう、という予測には役立つ。何％くらいの子どもが、こういうことが原因でこの問題を解けないとか、算数の学力に伸び悩む、ということも予測することができる。この情報は、入試の問題を作る人にはとても役立つだろう。しかし、クラスの70％の子どもがこの問題を解けるはずだ、と統計結果が示しても、A君が（あるいは自分の子どもが）この問題を解けるかどうかはわからない。また、目の前の子どもがこの問題を解けないのはなぜか、ということは、統計は教えてくれない。ちなみに、A君が算数の問題を継続的に解いている記録がデータとしてあれば、A君が次の問題を解けるか解けないかの予測はAIでもできるだろう。しかし、なぜ解けないのかという見極めは、現在のAIの技術では難しい。そして、問題が解けない理由がわからずに、ただ難易度を下げて問題を解かせたり、同じような問題を繰り返し子どもに解かせ続けたりしても、肝心の、子ど

170

もがつまずいている問題の理解には結びつかないことがほとんどである。だから、著者たちは、「ことばのたつじん」と「かんがえるたつじん」の総合得点だけで子どもの学力を判断するのではなく、各問題をどのように解いているかを見てほしいのである。

　次章では、福山市調査、広島県調査の結果を総括し、日本の子どもの「学力」に関する課題と、学習のつまずきについて考察していく。

第**6**章

学習のつまずきの原因

　本章では、「ことばのたつじん」と「かんがえるたつじん」を用いた福山市調査と広島県調査の質的分析および統計分析の結果を合わせて、「小学生の学習のつまずきの原因」を読み解いていく。

6-1　知識の問題

原因1　知識が断片的で、システムの一部になっていない

　学校で行われるテストは、標準学力テストでも単元テストでも、教科で教えられた内容を習得したかを問うことを主眼としている。問題にされるのは、教えられた内容を「知っているか／いないか」である。ここでは知識は「ある／ない」の2値のどちらかに分類されるものとして考えられている。

　しかし、福山市調査、広島県調査では、子どもたちの知識は「もっている／もっていない」で片づけられる単純なものではないということが明らかになった。福山市で実施した算数文章題テストでも、広島県で実施した標準学力テストにおいても、子どもの算数の知識は下位層でもゼロではないし、まったく使えない「完全に死んだ知識」でもないことがわかった。しかし自由に問題解決に使える「生きた知識」にはなっていない。そういう知識の状態が大多数の子どもにとって普通であることが調査によって浮かび上がってきたのである。

　文章題ですらない、単純な計算問題でも、これが顕著に見てとれた。広

島県調査で実施した算数学力テストは、従来のテスト作成の鉄則に則り、単純な計算問題、ちょっとひねった計算問題、マルチステップを踏む必要があるかなり複雑な文章問題などを含んでいる。もっとも単純な問題では $72+86=\square$（下の問題A）のように通常の方向で$\square$に入る数を計算する。しかし、もう少しひねった問題Bでは、虫食い算になっていて、形は足し算なのに、実際には引き算によって答えを出さなければならない。

```
A.    72      B.     68
    + 86         + □7
  ┌────────┐       ─────
  └────────┘        105
```

　2年生の問題Aの正答率は90％を超えていた。しかし、問題Bだと45％の子どもしか正答できない。なぜ問題Aはできて問題Bはできないのだろうか？

　子どもたちは、足し算の計算をする手続きは知っている。しかし、**足し算の手続きの「意味」はよくわかっていない。また、足し算と引き算の関係もよくわかっていない**。だから、68と$\square$7を足したら105になるから、真ん中の段の数を求めるには105から68を引けばよいということがわからない。

　この場合、子どもたちは「足し算のしかた」の知識はある。しかし、「足し算」と「引き算」の関係をよく理解していないので、問題Bのように形が変わると問題が解けなくなってしまう。問題Aができて問題Bができない子どもは、型通りの足し算はできても、足し算と他の演算とが関係づけられたシステムの知識になっていないのである。

　文章題になると、学習した内容がシステムの一部になっていないことによる困難さがより顕著になる。第2章で述べたように、算数文章題では、文章全体をきちんと読まず、「あわせて」や「残りは」などのキーワードを手がかりにして誤った演算で式を立て、そこに問題文に出てくる数字を放り込むというタイプの誤答が目立った。これは、問題文を読み解く力が

足りないことも原因のひとつであるが、**より大きな原因は、四則演算の知識がシステムになっていないことによると考えられる。かけ算の本質はかけ算だけ学んでもわからない。かけ算が足し算、引き算、割り算とどういう関係にあり、どう違うのかを理解していなければ、かけ算を的確に運用して問題を解くことはできないのである。**

　まとめると、少なくとも算数においては、子どもの学習のつまずきの非常に重要な原因のひとつは、それぞれの単元で学習した内容が断片的で互いに関連づけられていないことから「使えない知識(死んだ知識)」となっていることにある。

原因2　誤ったスキーマをもっている

　スキーマとはさまざまなモノやできごと、概念について人がもつ暗黙の知識である。スキーマは学びに大きな影響を与える。私たちを取り囲む世界はあまりにも多くの情報に溢れているので、すべての情報を取り入れることはできない。人はいま自分がどのような状況にあるのかを判断し、その状況についてのスキーマを想起し、その枠組みの中で、いま自分が何を見ているのか、これから何を見て何が起こるのかを予想する。

　想起できるスキーマがないと、入ってくる情報(たとえば教科書の内容や先生の説明)がほとんど理解できず、必然的に記憶できない。またスキーマが誤っていると、スキーマの枠から外れた情報には注意を向けないから、先生が一生懸命教えてくれても、その内容が子どもの中に入らない。仮に情報が「入った」としても、子どもはスキーマに合わせて先生の話した内容を解釈し、記憶する。したがってスキーマが誤っていると、せっかく授業で教えてもらった内容が(子どもが一生懸命授業を聞いていたとしても)まったく記憶されないか、誤った理解で記憶されてしまう可能性が高いのである[1]。

　「かんがえるたつじん①」では数という抽象的な概念に対して多くの子どもが誤ったスキーマをもっていることが明らかになった。この誤った**ス**

キーマはさまざまな場面で異なった顔で現れるのだが、根は１つである。それは、**数はモノを数えるためにあるというスキーマ**である。実は１歳未満の乳児がこのスキーマをもっていることが知られている[2]。このスキーマをもっていると、「数とはモノの数に対応する自然数である」という概念から抜け出ることができないために、数本来の相対性の概念にたどりつくことができず、算数で学習する数の概念の習得を妨げる悪さをする。

　たとえば有理数・無理数など、自然数以外の数の学習を難しくする。そもそも１つのモノを分割する数というのは「数＝自然数」スキーマと相いれないので、多くの子どもは分数に対して認知的な不協和を感じる。分数が「数」だと思えないのに、それを足したり引いたりする手続きを教えられ、覚えなさいと言われるのである。分数の意味が理解できないから分母や分子が何を意味するのかがわからない。だから何のために通分をするのかもわからないし、$\frac{1}{2}$ と $\frac{1}{3}$ のどちらが大きいかわからない。分母と分子の意味の違いもわからないから、２と３に注目し、より大きな数である３がある $\frac{1}{3}$ のほうが大きいと思ってしまうのである。

　数がモノに対応するというスキーマが生み出すもう１つの誤概念は割り算、割合、比率などにおける「１」の意味である。「１」はモノを数えるときの最初の数で、子どもが最初に覚える数のことばである。しかし算数では——特に割り算や割合、比率などでは——「１」は「単位」あるいは「全体」を表すことばとして使われる。「１個のモノ」と結びつけ、自然数の最初の数のことばとして「１」のスキーマが固定化されてしまうと、もう１つの意味である「全体」あるいは「単位」を表す「１」が受け入れ難くなり、文章題を読むと混乱してしまうのである。

　演算に関しても多くの子どもたちはさまざまに誤ったスキーマをもっている。足し算とかけ算を「数を増やす計算」、引き算、割り算を「数を減らす計算」と考えるのはその顕著な例である。もちろんそう教わったわけではない。スキーマというのは学習者が経験を自分で拡張して作り上げる暗黙の知識である。低学年で最初に学習する自然数同士の足し算とかけ算

では、必ず元の数よりも大きな数になるし、0より小さい数を中学1年生で学習するまでは、引き算も必ず大きいほうの数が先にきて、それより小さい数がそこから引かれるため、答えは0よりも大きい数になるような問題ばかりを扱う。割り算も、最初はまず割る数より割られる数が大きい整数同士の割り算を学ぶ。すると子どもはそのパターンを発見し、足し算、かけ算は数を大きくする操作、引き算と割り算は数を小さくする操作、というスキーマを自分で作り出してしまうのである。

　さらに割り算では、6÷2とか12÷4のような、割り切れて答えが整数になる数同士の計算が最初に導入される。すると、子どもは、割り算は、必ず割り切れるというスキーマを作ってしまう。後になって、余りが出たり、答えが整数にならない割り算を教えられても、このスキーマが邪魔をして、なかなか本来の割り算の概念を受け入れることができない。このように、**抽象的な概念を単純でわかりやすい例だけを使って教えることにより子どもが誤ったスキーマを作ってしまう**というのは、算数でもそれ以外の概念の学習でもよく見られることである。**いつも易しい計算手順、易しい概念から順番に教えていくと、子どもにとっては永遠の後出しじゃんけんが続くことになる可能性がある**ことを教育者は知ってほしい。

6-2　推論と認知処理能力の問題

原因3　推論が認知処理能力とかみあっていない

　「ことばのたつじん」「かんがえるたつじん」が明らかにした子どもの学習のつまずきのもう1つの大きな原因は、**考える力の弱さ**である。ここでいう「考える力」とは、**「認知処理の負荷をコントロールしながら推論をする力」**と言い換えられる。

　福山市調査、広島県調査はどちらも、「かんがえるたつじん③」が算数学力にも国語学力にも大きく関わっていることを示した。この結果を、統計分析の結果だけで判断すると、学力に伸び悩む子どもたちは推論の力が

弱いと結論づけたくなる。しかし、問題ごとに注意深く見ていくと、そうではないことが見えてくる。「かんがえるたつじん③」では、学力に伸び悩む子どもが、**推論そのものができないわけではない**ことを示した。下位層の子どもも、認知処理の負荷が小さいときには推論ができる。しかし認知処理の負荷が大きくなるとてきめんに問題解決ができなくなってしまう。上位層の子どもは認知的負荷が大きくなっても推論ができる。言い換えれば、**子どもたちの間の個人差は、推論ができるかできないかということによるのではなく、認知処理の負荷に対処して推論ができるか、負荷に負けて推論ができなくなってしまうかというところから生まれている**。結局、推論の力というのは、情報処理能力、実行機能、作業記憶などの認知処理能力と切り離せないのである。

しかし、ここで読者にしっかり知っておいてほしいことがある。**認知処理の負荷に対処できる力というのは、生まれつきのハードウェア（脳機能）の良し悪しで決まるわけではない**。これは、さまざまな分野の達人の卓越した認知処理能力の研究からはっきりといえることである。熟達者たちは、自分が熟達する分野の問題解決のために無駄のない、認知的な負荷がもっとも小さくなるような認知処理システムを作り上げている。認知処理システムの中身（情報が集められ、処理される脳内のネットワーク）は、熟達の分野によって異なる。だから、達人のもつ認知処理システムはもって生まれたものではなく、長年の修練によって作り上げられたものなのである。

子どもの推論を支える認知処理システムも、同様に、幼いころからの日ごろの「修練」の成果なのである。ただしここでいう「修練」というのは、幼児用の教材の推論の問題や記憶の問題などをたくさん解くことではない。日ごろことばを使い、ことばをたくさん覚えながら推論をしたり、日常のさまざまな生活の体験から「なぜ」を見つけ、因果関係を推論する練習を積み重ねることで鍛えられたものである[3]。

日常生活の中の思考で鍛えられるのは、認知処理能力の容量や性能そのものというより、それを問題解決のためにどのように使うかということで

ある。実際、算数文章題でも、「かんがえるたつじん②③」で正答率が低かった難しい問題で正答していた子どもたちは、図を描いたり補助線を引いたり、頭に置いておかなければならないことをメモしたりして、認知処理の負荷に対処する工夫をしていたのである。

6-3 相対的視点と認知的柔軟性の問題

原因 4 相対的にものごとを見ることができない

2つの「たつじんテスト」の中で、もっとも強く、一貫して学力を予測していたのは、「空間・時間ことば」であった。このことは、「相対的にものごとを見ることのできる能力」が学力にとても重要であることを示している。この能力は、思考力、学力のさまざまな側面に波及する。「かんがえるたつじん①」で、数直線上に与えられた数の位置を示す問題があった。この問題では、0から100まで、あるいは0から1まで与えられたスケールの上で相対的に数を捉えることが必要だが、これができない小学生が驚くほど多かったのはショックだった。これは数という概念の核である「数の相対性」が理解できていないことを端的に示していた。

「相対的にものごとを見ることができる」ということは、「視点を柔軟に変更・変換できる」ということと深い関係がある。文脈に即して視点を柔軟に変更する力は、「かんがえるたつじん③」の最後の問題（大問9）でも見ることができた。大問9を構成する小問4問は、見本のペアの関係がどれも異なっていた。つまり大問9で正答するためには注目するモノ同士の関係性を問題ごとに切り替えなければならない。正答率の低い子どもたちは、切り替えがうまくできず、前の問題の関係を引きずってペアを作ってしまう傾向が見られた。そしてこの大問9は「空間・時間ことば」と並んで学力を高く予測していた。

視点変換の柔軟性は、ことばの多義性の理解につながる。上で子どもが分数や割り算につまずく一因として、「1」について「モノの数の1」「自

然数の最初の数」というスキーマを乳児期からもち、それが数の相対性の理解の障壁になっているということを述べた。0 から 10 の数直線は 10 センチである必要はなく、任意の長さでよい。単位としての「1」はケーキ 1 個である必要はなく、子ども 140 人でも、水 50 リットルでも、任意の数、量でよい。これはまさに数について子どもが乳児期からもっているスキーマを根本的に書き換えることを必要とする。ここまで書けば、「**相対的にものごとを見る能力」＝「視点の変換の柔軟性」は誤ったスキーマを修正する力に根本的に関わっている**ことがわかっていただけると思う。そして**誤ったスキーマを自ら修正できる力は、知識を想像したり発展させたりするのに最重要の能力**なのである。

　このことから考えれば、「空間・時間ことば」が算数学力をもっとも高く予測するというのは、不思議なことではなく、むしろしごく当然なことだといえよう。

　ちなみに、自分の視点でなく、文脈で求められた視点に変換してものごとを捉えるのは立派な「推論」である。「かんがえるたつじん③」の中には含めなかったが、「かんがえるたつじん①」や「ことばのたつじん②」をはじめ、相対的視点でものごとを捉える能力、文脈に応じて視点を変換する能力を必要とする問題が、2 つの「たつじんテスト」には随所にちりばめられているのである。

6-4　読解力と推論力の問題

　読解力はもちろん学力の中核的な役割を果たす。算数文章題テストの誤った解答の多くは、問題文を読み取れていないことが大きな原因であった。しかし、第 1 章でも述べたように**「読解力がない」という見立ては認知科学の観点からは大雑把すぎる。読解力がない状態が何に由来するのかがわからず、読解力を向上させるための手立てにつながらない**からである。現状でできないことを単に繰り返しさせても向上につながる可能性は低く、

モチベーションが下がって読むことがますます嫌いになる可能性のほうがずっと高い。算数文章題テストと2つの「たつじんテスト」から、読解困難の背後には(1)行間を埋めることができない、(2)メタ認知が働いていない、という2つの原因が見えてきた。

原因5 行間を埋められない

読解ができない問題のもっとも大きな原因は、行間を埋めるための推論ができないことである。算数の文章題に限らず、言語の情報を理解するためには必ず「行間を埋める」プロセスが必要となる。「行間を埋める」ためには、推論が必要になる。原因3の「推論」に含めてもよかったが、読解の困難の原因の根は主に推論力の弱さにあるということを伝えるために、ここで別に取り上げる。

福山市の算数文章題テストでも、多くの誤答は一般的には「読解力の問題」といえるものだった。たとえば「子どもが14人、1れつにならんでいます。ことねさんの前に7人います。ことねさんの後ろには、何人いますか」(列の並び順問題)は1年生の問題だが、3年生はもとより5年生でも、問題文から状況のイメージが正しく作れない子どもが多くいた。この問題は、問題文に書かれている数字だけを使うと正答できず、ことねさんが列に含まれていることを考慮して「14−7−1」という式を立てなければならない。「1まいの画用紙から、カードが8まい作れます。45まいのカードを作るには、画用紙は何まいいりますか」という問題は、「45÷8＝5余り5」という式と答えは出ているのに、5枚だとカード40枚しかできないから、あと5枚カードを作るためには画用紙があと1枚必要で、だから合計6枚になる、という結論にもっていけない。5年生用の「250g入りのお菓子が、30%増量して売られるそうです。お菓子の量は、何gになりますか」という問題では、「増量」だから増えなければならないということはわかりながらも、30%増量だから1倍＋30% で130%（＝1.3）をかけなければならないという推論ができない。1倍(100%)という数字が問題文の

中にないからである。

　このように、**文章題がうまく解けない子どもは、文章に書かれていない
ことを補って自分で状況のイメージを作ることが苦手**なのである。

原因6　メタ認知が働かず、答えのモニタリングができない

　算数文章題ができないことは、**自分の「読み」が理屈に合っているかど
うかモニタリングができていない**ことも一因となっている。「列の並び順
問題」で、14×7という式を立て、計算は正しくできて98という答えを
出したとき、この答えがおかしくないかどうか、ちょっとでも確認すれば
98はありえないということがわかるはずなのに、それをしようとしない。
たぶんきちんと考えることなく、思いついた式に問題文中の数を入れ、答
えが出たら、振り返らずに答えを解答欄に書いて「できた！」と思い、満
足してしまうのである。

　ある単語に目がいくと、それをキーワードにして勝手に読んでしまうと
いうことは算数文章題以外でも、いわゆる「学力が伸びない」子どもに随
所で見られた。「ことばのたつじん」の第1版では、「花ちゃんは、タマと
いうネコをかっている。でも、タマは、2日間ずっと元気がなくて、花ち
ゃんと遊んでくれない。」という文章を読んでもらい、「元気がないのはだ
れのネコですか？」という質問をした。この質問に対して、「タマ」と答
えた子どもが少なからずいた。問題を読まずに「タマ」と「だれ」という
2つのことばだけを拾って「タマ」と答えてしまったのである。

原因7　「問題を読んで解くこと」に対する認識

　著者たちの一連の調査では、文章を読まず単語だけ拾って答えを書く、
算数文章題に対して数字だけ拾って思いついた式に放り込み、計算して答
えが出れば満足する子どもの姿が浮かび上がった。

　このような算数への向き合いかたの背後にあるのは、算数の学びへの認
識だろう。文章の意味を考えず、問題文中の数を思いつく式に放り込んで

すましている子どもたちは、**何のために算数を学ぶのかがわからず、算数の意味を感じ取れていない。**もっとも心配なのは、学年が上がるにつれ、文章題に答えようとせず白紙で提出する子どもたちが増えていることである。

失敗が重なると、自分の力では現状を変えることができないという気持ちになってしまう。算数文章題は自分にはどうせ解けない、と思ってしまっているのである。前述のように、これを「**学習性無力感**」というが、この状態に陥っている子どもが少なからずいること、しかも、学年が上がるにつれて増加していることは大きな懸念材料である。算数の問題が解ける喜びを感じられない経験が長く続いたためだろう。これは問題が解ける喜びを経験できないことはもとより、算数の勉強そのものに意味を見いだせていないのである。

これは単に「やる気の問題」、あるいはこのごろよく耳にする「マインドセット」の問題だろうか？　いわゆる「非認知能力」が発達していない子どもが学習性無力感に陥るのだろうか？　そんなことはない。ほとんどの子どもは、もともと学ぶことが好きで、算数が好きなのだ。小学1年生はこれから自分が学ぶことに期待に胸を膨らませて入学する。

しかし、学校の勉強はどんどん抽象度を増し、難しくなる。つまずく子どもは頭が悪いからつまずくのか。そうではない。**抽象的な算数の概念と自分のスキーマがぶつかって混乱するからつまずくのである。**驚くほど多くの子どもが数の数え方にさえつまずく。ここでも、子どもは自分でパターンを発見し、それを一般化しようとする。10まで数えたら、次は「じゅういち、じゅうに、じゅうさん…」と数えることを知る。すると「11」は「10と1」、「12」は「10と2」に分解できると思う。20になると「にじゅういち、にじゅうに…」と数えると聞くと、「にじゅういち」は「2と10と1」に分解できると思ってしまう。これはパターンを発見してそれを拡張する立派な推論である。

著者たちはこのような子どもたちをたくさん見てきた。このように思い

違いをして間違った解答を書いてしまったとき、× を解答用紙に書かれて、なぜ × なのか、自分の考えのどこが「間違っている」のかがわからないまま授業は先に進んでしまう。「1」が、任意の単位という意味で使われることの理解がないのに、$\frac{1}{2}$ や $\frac{1}{3}$ という分数が出てくる。分数の意味がわからないのに、分数の計算のしかたを教えられる。なんとか計算のしかたは暗記しても、理屈が理解できていないから、応用はまったく利かない。文章題になるとかけ算を使うのか割り算を使うのかわからない。演算同士の関係が理解できないと文章題は解けないのである。

　こういう状況で算数ができないのに、がんばりが足りないからと気持ちの問題にされてしまっては、子どもはたまったものではない。算数がわからない、問題が解けない経験だけが積み重なってしまい、しまいには自分はいくら勉強しても算数文章題は解けないという学習性無力感に陥ってしまう、あるいは、とにかく問題文中の数字を思いつく式に放り込んで答えを書き、その場をやりすごすことが習慣になってしまうのである。

6-5　複数要素の統合への手立てが重要

　ここまで、調査から明らかになった子どもの学習のつまずきの原因を考察してきた。箇条書きにすると、7 つの原因が独立に並列している印象を与えるかもしれないが、実際には原因 1〜7 のそれぞれは互いに深く関係しあっている。言うまでもないことだが、原因 6 のメタ認知が働かない問題は、原因 7 にあげた算数に対する認識や学習性無力感と表裏一体である。誤ったスキーマを性急に作ってしまうこと、誤ったスキーマを頑迷に保持し、修正ができないことも推論の力、メタ認知、算数への（あるいは学び全般に対する）認識が関わっている。

　これらの原因の対処のしかたについて具体例も含めて述べるには、それ自体で 1 冊の本のボリュームを必要とするので、別の本で書かせていただきたいと思う。ここで 1 つだけ指摘したいことは、**原因のひとつを単独で**

取り出してそれだけを訓練しても大きな効果は望めないということである。ここにあげた7つの原因を意識しつつ、全部とは言わないまでも、複数を同時に向上させる手立てを考えることが有効である。何度も繰り返すが、学びは要素の単純な加算で成立するものではない。学力に伸び悩む子どもの多くは、それぞれの要素単独では認知処理の負荷が軽ければできることが多い。彼らが苦手なのは複数の要素の統合である。そこから論理的に考えれば、手立てに含めるべきなのは認知処理の負担を軽減したうえで、上記の7要素のうちの複数を統合する課題を工夫し、そこから少しずつ統合の度合いを深め、認知的負荷を上げていきながら問題解決の練習をすることであろう。子どもが「できる」レベルを見つけたら、まずそのレベルで練習する。そのレベルの問題が楽に解けるようになったら、要素を1つだけ付け加えるなどして、認知的な負荷を少しだけ上げる。そのレベルでまた子どもが楽に問題を解けるようになったら、またもう少しだけ認知的な負荷を上げてみる。

　このように書くと、ICTでレベルの判断ができる、と思われた方もいるのではないだろうか。単純な計算の難易度ならたしかに判断できるだろう。しかし、ここで著者たちが言う「要素の統合における認知的負荷のレベル」の見極めには、子どものもつ当該の概念のスキーマの診断や、子どもの当該の概念領域(教科、単元)に対する認識やモチベーションまでアルゴリズムに組み込まないとうまくいかないはずだ。現在のAIの技術では無理なことである。しかし、熟練の教師にとっては難しいことではない。「ことばのたつじん」と「かんがえるたつじん」を活用すれば、子どもがどのようなスキーマをもっているか、どのくらいの認知的負荷ならできそうかは、教師の側に経験と意欲があれば、見極めはそれほど難しくないので、まずは試してみてほしい。

　いま目の前でつまずいている子どもに対処することはもちろん大事だが、子どもが学校の学びでつまずかないためにもっとも効果的なことは、就学前から家庭や幼稚園、保育園などで子どもをシームレスにサポートし、子

どものことばの力と考える力の基盤を作る環境を整えることであることは、発達心理学や行動経済学の多くの研究で示されている[4]。

「はじめに」でも述べたが、広島県第2回調査では「ことばのたつじん」「かんがえるたつじん」「標準学力テスト(国語・算数)」の他に保護者に対してアンケート調査を行い、子どもの家庭環境と保護者の養育・教育に対する考え方と、言語力と思考力、学力の関係を分析した。子どもの学習のつまずきの原因を明らかにするという本書の主題から少し外れるが、次に付録1として、ことばの力、数についてのスキーマ、推論の力、認知能力、学力がどのような家庭環境を基盤にしているのかを報告する。

付録 1

ほんものの学力を育む家庭環境
──保護者アンケート調査から

　第6章まで、算数を中心にした小学生の「学力」の実態と学習のつまず
きの原因について、データを読み解きながら考察してきた。データからわ
かった重要なことのひとつは、小学2年生のことばの力において、また数
の直観的な理解や推論の力において、すでにかなり大きな個人差が生まれ、
それが学力の差として表れているということである。ということは、小学
校に就学する前に保護者の養育態度と家庭環境によって育まれたことばの
力、数の理解、認知能力が学力に大きく影響することは想像に難くない。

　これまで、国内外の多くの研究において、家庭環境(特に家庭における学
びの環境)が子どもの学力に影響を及ぼすことが明らかにされてきた。た
とえば、日本における「全国学力・学習状況調査」の保護者に対する質問
紙調査を分析したお茶の水女子大学の研究チームは、家庭における(a)絵
本の読み聞かせや読書のすすめ、(b)自立を促すしつけや人間形成に関す
る働きかけ、(c)就寝起床、朝食など生活習慣に関する働きかけ、(d)テ
レビゲームや携帯電話に関する時間制限のルールなどが、小学6年生の子
どもの学力によい影響を及ぼすことを明らかにしている[1]。また、イギリ
スにおける 3000 人以上の子どもを対象とした、就学前・初等教育の効果
(EPPE: Effective Provision of Pre-school Education)の大規模縦断調査プロジ
ェクトでは、3〜4歳時の家庭における質の高い学習経験(絵本の読み聞かせ、
文字、数・形、歌、お絵かき、図書館訪問などの頻度)が幼稚園などの就学前教
育の質と相互に作用して、11 歳児の全国学力調査の英語、算数などの成
績によい影響を及ぼすことを示している[2]。

そこで、この付録1では、家庭環境が子どもの学力に及ぼす影響を明らかにするために、子どもの学力調査とあわせて、その保護者に家庭環境についてのアンケートを実施した広島県第2回調査の結果を報告する。この調査は、広島県の都市部と人口の少ない地域から協力校を、バランスを考えて選んで実施した。そして、児童とその保護者941組のデータを収集した。ここでは、保護者アンケートによって調べた養育態度と家庭環境が、その子どもの「ことばのたつじん」が測ることばの力、「かんがえるたつじん」が測る数に対する直観的理解と認知能力にどのように影響を与え、子どもの学力とどのように関係しているのかを考察する。

A-1　保護者アンケート調査

家庭環境を調査するための保護者アンケートの質問項目は、文部科学省が平成25年度と平成29年度に実施した「全国学力・学習状況調査」の保護者に対する調査と地方自治体の教育委員会で実施されている調査、国内外の先行研究[3]を、本研究プロジェクトにあわせて、一部修正、翻案して用いた(出所は、**表A-1**の3列目のアルファベット記号で示す)。さらに、学力に影響すると考えられる新たな項目を作成した(**表A-1**の3列目が空欄の項目)。

その内容は、大きく以下の5つの項目群に分かれる。

第1は、ことばの力に影響すると考えられる就学前の読み聞かせ(2：以下、括弧内の数字は**表A-1**の1列目の項目番号)や現在の読書習慣(1, 3)に関する項目である(質問項目は、すべて「あてはまる」から「あてはまらない」までの5件法評定)。さらに、それを育む家庭環境として、家庭内の本の冊数(4, 5)である。家にある本の冊数(6段階評定)、そのうちの子どもの本の冊数(5段階評定)である。

第2は、就学前のことばや数字などの家庭教育である。時間・ひらがな・数字の教育(8〜10)と子どもが自発的にひらがなや数字に興味をもつ

こと(6, 7)との両方からなる。

　第3は、現在の家庭における学習習慣(11〜13)、生活習慣(14〜16)、きまりやしつけに関する考え方(17, 18, 20, 21 など)である。

　第4は、保護者の子どもの学習に対する考え方(27, 35, 36 など)、それらにもとづく子どもへの働きかけ(28, 32〜34 など)、期待(27, 38 など)、学校／教師への信頼(24)や要望(29 など)、英語学習への希望(35, 36)などである。そのほかに、動植物の世話(41, 42)などである。

　第5は、学力にマイナスの影響を与えると考えられるテレビ、マンガ、ゲームの時間である(43, 44)。

　これらの保護者の養育態度や家庭環境に関する質問項目を回答パターンにもとづいて分類するために、因子分析を行った結果が**表A-1**である。項目の間の相関にもとづいて、最尤法という因子抽出の計算法を用いて、固有値1以上という規準で、相関の背後にある14因子を抽出した。

　そして、保護者の養育態度や家庭環境に関する質問項目と、「たつじんテスト」とA社の標準学力テスト得点との関連を見るために、14因子のアンケートの各項目の評定値と各テスト得点との相関係数を算出した。次に14因子を、テスト得点との相関が高い順に並べ替えた。

　表A-1に示すとおり、テスト得点との相関が高いのは、「読書習慣・読み聞かせ」因子(現在の読書習慣(1)、就学前の読み聞かせ(2))と「家庭内の本の冊数」因子に関わる項目(4, 5)である。これらの項目とテスト得点との相関は全体に高い(.18〜.35)。「ことばのたつじん」(.22〜.33)は「かんがえるたつじん」(.18〜.27)よりも高かった。教科学力テストについては、よく本を読んでいるという読書習慣(1)は、国語との相関(.35)が、算数との相関(.29)よりも高かった。他の項目は、両教科のテストとも同程度の相関であった。

　「ひらがな・数字への興味・関心」因子の項目(6, 7)も、テスト得点との相関が全体に高い(.19〜.31)。特に、就学前のひらがなへの自発的関心(6)では、「ことばのたつじん」(.31)は「かんがえるたつじん」(.19)よりも相関

表 A-1 保護者の養育態度や家庭環境の項目とテスト得点との相関

項目番号	項目（太字は最尤法によって抽出された因子）
	読書習慣・読み聞かせ
1	お子さんは、よく本を読んでいます
2	お子さんが小さいころ、絵本の読み聞かせをしていました
3	お子さんと一緒に本を読んだり、読んだ本の話をしたりします
	家庭内の本の冊数
4	あなたの家には、およそ何冊の本がありますか
5	あなたの家には、およそ何冊の子供向けの本がありますか
	ひらがな・数字への興味・関心
6	お子さんは、小学校に入る前、教えなくても、ひらがなに興味をもち、読んだり書いたりしていました（ひらがなへの興味・関心）
7	お子さんは、小学校に入る前、教えなくても、数字に興味をもち、数を数えていました（数字への興味・関心）
	時間・ひらがな・数字の教育
8	お子さんに、小学校に入る前、生活の中で時計を見て時間を意識させていました
9	お子さんに、小学校に入る前、ひらがなを教えていました
10	お子さんに、小学校に入る前、数を教えていました
	家庭学習、学習の準備
11	お子さんは、毎日、明日の学習の準備をきちんとし、忘れ物が無いようにしています
12	お子さんは、家で、家族が言わなくても、学校の宿題をしています
13	お子さんは、家で、家族が言わなくても、自分から宿題以外の勉強をしています
	基本的生活習慣
14	お子さんが、毎日、朝食を食べるようにしています
15	お子さんが、毎日、同じくらいの時刻に寝るようにしています
16	お子さんが、毎日、同じくらいの時刻に起きるように（起こすように）しています
	きまり、しつけほか
17	お子さんに、学校のきまりを守らせています
18	子どものしつけは家庭・地域より主に学校が行うべきだと思います
19	お子さんには、成績を上げるために、読解力より、短い時間でたくさん暗記ができる方法を身に付けてほしいと思います
	家庭内の話し合い重視ほか
20	テレビ・ビデオ・DVD 等を見る、ゲーム、インターネットをする、スマートフォンを使う時の時間やルールを決めています
21	家庭でのルールを決める際に、お子さんの思いや考えを聞いて、話し合うようにしています

	たつじんテスト		教科学力テスト	
	ことば	かんがえる	国語	算数
z	0.33***	0.27***	0.35***	0.29***
z	0.27***	0.24***	0.25***	0.24***
z′	0.22***	0.18***	0.22***	0.20***
z	0.28***	0.24***	0.23***	0.25***
z	0.26***	0.22***	0.24***	0.24***
	0.31***	0.19***	0.30***	0.26***
	0.30***	0.25***	0.29***	0.28***
	0.27***	0.21***	0.24***	0.30***
	0.14***	0.06	0.16***	0.15***
	0.10**	0.06	0.11***	0.12***
	0.20***	0.15***	0.25***	0.24***
z′	0.17***	0.13***	0.20***	0.17***
z′	0.14***	0.14***	0.18***	0.15***
z	0.17***	0.16***	0.20***	0.20***
z	0.08**	0.07*	0.11***	0.07*
z	0.08*	0.02	0.08*	0.05
m′	0.16***	0.14***	0.20***	0.18***
	−0.05	−0.05	−0.02	−0.02
	−0.21***	−0.15***	−0.21***	−0.17***
z′	0.09**	0.05	0.06	0.07*
z′	0.07*	0.13***	0.05	0.07*

22 家族や学校の先生だけでなく、地域や専門家の方々と交流できるように、いろいろな場に出かけています

23 テレビやスマートフォン等でゲームをすることは、集中力を高めることにつながると思います

教員への信頼と学校が楽しい

24 お子さんは、学校の先生を信頼しています

25 お子さんは、学校に行くことを楽しみにしています

26 お子さんは、その日にあったことの話をします

努力、反復、子どもへの働きかけ

27 お子さんには、小学校低学年からしっかり日本語を身に付けてほしいと思います

28 学校で学んだことを、ふだんの生活に結び付けるために、お子さんに、日々の生活で問いかけるようにしています

29 学校の先生に毎日たくさんの宿題を出してほしいと思います

30 お子さんと、何のために勉強するのかについて繰り返し話すようにしています

31 お子さんが困ったことがあった時に、他の人に頼らず自分で何とかできるようにするため、具体的なアドバイスを伝えるようにしています

32 お子さんに、「努力すれば必ず成績は上がる」と伝えています

33 お子さんには、他人の意見に流されることなく、しっかりと自分の考えを持つことが大切だと伝えています

34 お子さんの話した内容が分かりにくい時、再度、言い直すように促しています

英語学習への希望

35 お子さんには、小学校低学年からしっかり英語の勉強をしてほしいと思います

36 お子さんには、小学校低学年では、英語に親しむより読書に親しんでほしいと思います

一緒の外出、学ぶ楽しさ重視ほか

37 お子さんと一緒に、外出や旅行をするのが好きです

38 お子さんには、よい成績をとることよりも、学ぶことが好きになってほしいと思います

39 お子さんには、読書より外で遊んでほしいと思います

40 お子さんが学校生活が楽しければ、よい成績をとることにはこだわらなくていいと思います

栽培飼育経験

41 お子さんは、小学校に入る前、家で、植物、昆虫、動物等の世話をしていました

42 お子さんは、現在、家で、植物、昆虫、動物等の世話をしています

テレビ、マンガ、ゲームの時間

43 お子さんは、休日、1日何時間くらいテレビ、スマートフォン、パソコン等でマンガを読んだり、ゲームをしたり、動画を視聴したりしていますか

44 お子さんは、ふだん（月〜金）、1日何時間くらいテレビ、スマートフォン、パソコン等でマンガを読んだり、ゲームをしたり、動画を視聴したりしていますか

---

* $p < .05$, ** $p < .01$, *** $p < .001$

z＝全国学力・学習状況調査の保護者に対する調査（平成25年度、平成29年度）、z′は翻案を示す

u＝しつけスタイル尺度（内田他、2009）

m′＝宮城県児童生徒学習意識等調査（平成28年度）翻案

	0.04	0.04	0.01	0.00
	-0.07^{*}	-0.02	-0.05	-0.03
z	0.09^{**}	0.05	0.09^{**}	0.05
z	0.07^{*}	0.00	0.06	0.05
z	0.01	-0.02	0.08^{*}	0.02
	0.07^{*}	0.07^{*}	0.03	0.04
	0.03	0.02	0.05	0.05
	0.02	0.03	0.05	0.06
z	0.02	0.06	0.01	0.03
	0.02	-0.02	0.04	0.03
z′	-0.02	0.00	-0.01	0.01
	-0.03	-0.06	-0.01	-0.03
	-0.04	-0.05	-0.02	-0.04
	0.06	0.09^{**}	0.09^{**}	0.10^{**}
	0.02	0.02	0.02	0.03
u	0.07^{*}	0.05	0.06	0.04
	0.04	0.03	-0.01	-0.02
	-0.07^{*}	-0.09^{**}	-0.11^{***}	-0.09^{**}
z′	-0.09^{**}	-0.12^{***}	-0.14^{***}	-0.16^{***}
	0.02	0.06	-0.04	0.00
z′	-0.04	-0.01	-0.03	-0.03
m′	-0.14^{***}	-0.09^{**}	-0.16^{***}	-0.14^{***}
m′	-0.13^{***}	-0.09^{**}	-0.19^{***}	-0.17^{***}

が高い。また、国語(.30)は算数(.26)よりもやや高い。

「時間・ひらがな・数字の教育」因子の項目においては、就学前の生活の中で時計を見て時間を意識させること(8)は、各テスト得点との相関が高い(.21～.30)。教科のテストについて見ると、算数との相関(.30)が国語(.24)よりも高い。一方、就学前にひらがなや数字を教えること(9, 10)とテスト得点との相関はやや低い(.06～.16)。

「家庭学習、学習の準備」因子の項目(11～13)と、各テスト得点との間も一貫して弱い相関がある(.13～.25)。また、「基本的生活習慣」因子項目の朝食を食べること(14)(.16～.20)、「きまり、しつけほか」因子項目の学校のきまりを守らせること(17)(.14～.20)は、各テスト成績と弱い相関がある。

「家庭内の話し合い重視ほか」「教員への信頼と学校が楽しい」「努力、反復、子どもへの働きかけ」「英語学習への希望」「一緒の外出、学ぶ楽しさ重視ほか」因子の各項目と各テスト得点との相関は、高い項目でも.13で相関は弱い。「栽培飼育経験」(41, 42)は、今回取り上げた各テスト得点との相関は見いだせなかった。

一方、「テレビ、マンガ、ゲームの時間」因子の項目(43, 44)は、各テスト得点と負相関(-.09～-.19)があった。

A-2　家庭環境が学力に及ぼす影響

表 A-1 の相関係数にもとづいて、**図 A-1** の仮説モデルが立てられた。左側は子どもの学力に影響を及ぼすと考えられる要因であり、**表 A-1** の濃い網掛けで示す家庭内の本の冊数(4, 5)、読書習慣・読み聞かせ(1～3)と薄い網掛けで示す就学前の家庭内の学習(6～10)に関して保護者アンケートで調べた項目である。これらが、真ん中に示す2つの「たつじんテスト」、さらに、右側の国語と算数の教科学力に影響を及ぼすと考えた。

図 A-1 の仮説的なモデルにもとづいて、パス解析という方法で、家庭

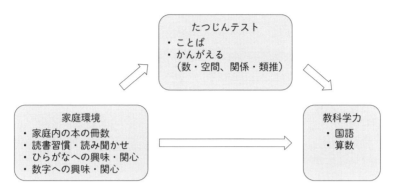

図 A-1　家庭環境が学力に及ぼす影響の仮説モデル

環境の変数が学力に及ぼす影響関係を探り、もっとも「よいモデル」と判断された（モデルとデータとの適合度が高い）ものが、**図 A-2** である[4]。矢印の太さと数字（パス係数）は、影響関係の強さを示している（0 が最小で 1 が最大である）。

　図 A-2 の左側の一番下にある 読書習慣・読み聞かせ からの矢印は、ことばのたつじん と かんがえるたつじん の両方の得点を高める影響を及ぼしていることを示す。また、左側の上から 2 つ目の 家庭内の本の冊数 も、両方の「たつじんテスト」得点を高める影響を及ぼしている。

　図 A-2 左側の上から 3 つ目の 数字への興味・関心 からの矢印は、かんがえるたつじん のテストの得点に影響し、ことばのたつじん のテスト得点へも影響していることを示している。一方、左側の上の ひらがなへの興味・関心 からの矢印は、ことばのたつじん のテスト得点に影響していることを示している。

　図 A-2 の真ん中の ことばのたつじん から 国語 の学力テストへの太い矢印は、得点を高める強い関係があることを示している。また、算数 学力に対しても、国語ほどでないが、影響を与えていることを示している。一方、かんがえるたつじん から 算数 の学力テストへの太い矢印は、「か

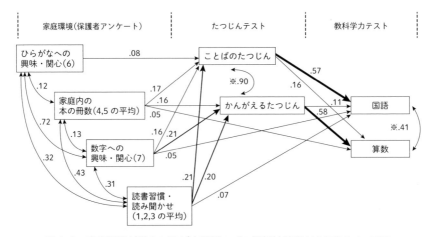

図 A-2　家庭環境が学力に及ぼす影響のパス解析結果（数値は標準化パス係数）
$\chi^2 = 12.303$, 自由度 = 6, p = .056, CFI = .999, RMSEA = .033
※ は誤差間相関
括弧内の数字は表 A-1 の 1 列目の項目番号

んがえるたつじん」で測っている力が算数学力を高める強い関係があることを示す一方、国語の学力テストへの細い矢印は、「かんがえるたつじん」が国語学力へもやや弱い影響を与えていることを示している。

A-3　ほんものの学力を生む家庭環境

　以上の保護者アンケートと「たつじんテスト」と教科学力テストの関連を分析した結果から、「ほんものの学力を生む家庭環境」を考えるときに大切なことが 3 点明らかにされた。
　第 1 は、本のある家庭環境である。ここには、子どものための本はもちろんのこと、家庭にあるすべての本があてはまり、図書館で借りてきた本も含まれる。身近に本のある家庭環境は、家族が本を読んでいることを目にすることになる。それは、子どもがいつでも本を手にして読むことが容易になることを意味し、それはさらに読書習慣につながると考えられる。

そして、本のある家庭環境は、ことばの力とともに、数の抽象的な概念理解(スキーマ)、関係や類推関係の理解を支える認知処理能力と推論力を育み、さらに、国語と算数の学力を高めていた。

　第2は、読書習慣である。子どもが小さいころに絵本の読み聞かせをすること、そして、現在、子どもがよく本を読んでいることは、ことばの力はもちろんのこと、数や形の力を育み、国語と算数の学力を向上させていた。なお、過去の読み聞かせ経験よりも現在の子どもの読書習慣のほうが、学力への影響はやや強い。したがって、子どもが本を読む習慣が、これからも持続するようにすることが大切である。

　第3は、もっとも強調したい点である。就学前に、子どもが自ら関心をもって、ひらがなに興味を示して読んだり書いたり、数を数えたりしていたことが、「ことばのたつじん」「かんがえるたつじん」の得点、さらに国語と算数の学力テストの得点を向上させていた。また、就学前に、生活の中で、時計を見て時間を意識させることも、学力に影響を与えていた。それに比べて就学前に、子どもにひらがなや数字を教えることによる学力への影響は、子どもが自発的にことばや数字に興味や関心を示すことよりも、弱いものであった。つまり、**ことばや数字を直接教えるより、子どもがことばや数に自ら自然に興味をもつように環境を整えることが、就学後の学力を高めることにつながる**ということが示されたわけである。

「ことばのたつじん」「かんがえるたつじん」 の開発の過程

　「はじめに」の冒頭に、「テストの開発には、何回にもわたる予備調査による問題の精査が欠かせない」と述べた。「ことばのたつじん」「かんがえるたつじん」は 2022 年 2 月現在で、第 4 版となっている。ここに至るまでに広島県調査と福山市調査を 3 回ずつ実施し、そのたびに、大規模、小規模の改訂を行った。その概要は「はじめに」の**表 1** にまとめたが、ここでは、テスト開発の過程に興味がある読者のために、調査各回の位置づけやテストの改訂ポイントなどの開発過程の詳細を述べたい。

　すでに述べたように、「たつじんテスト」のきっかけは、今井と中石が外国児童の日本語の力を測り、教材にもなる日本語テストを作りたいと思ったところから始まった。先行研究を参考にしながら「ことばのたつじん」のプロトタイプを作成した。ただ、通常の「語彙の広さ」だけを測るのではなく、「語彙の深さ」「同じ概念の中で似た意味をもつことば、特に動詞の使い分け」の能力も測りたいという意図は最初からあったが、このような概念の小学生用の語彙テストは見当たらなかったので、とりあえずたたき台を作り、予備調査で確かめていくしかない状況だった。

　外国児童の日本語能力も測るテストを作るためには、日本語を母語とする児童の日本語の語彙力がどの程度なのかをまず知る必要があった。そこで予備調査に協力してくれる学校の紹介を広島県教育委員会にお願いした。2017 年のことである。この「プロトタイプバージョン」を見た広島県教育委員会が、このような考えのテストは外国児童に限らず、学校の授業になかなかついていけない子どもたち全般のつまずきの原因の見極めに役立

つのではないかと考えて、「小学校低学年におけるつまずきの調査研究プロジェクト」が発足した。第1回目の会合は2018年6月であった。

　3, 4年生で、学ぶ内容の抽象度が高くなるとついてこられなくなる子どもがいる。いわゆる「9歳の壁」といわれる現象である。この壁を乗り越えられる子どもと乗り越えられない子どもの違いは何かを明らかにしたい、という目的が広島県教育委員会義務教育指導課から提示された。「9歳の壁」を乗り越えるためには言語の力が重要だが、その他に「考える力」や「数や量に対するセンス」も大事だということになり、「ことばのたつじん」とともに「かんがえるたつじん」も開発しようということになったのである。

　「ことばのたつじん」「かんがえるたつじん」は、広島県では2年生を対象に、2018年度、2019年度、2020年度の計3回調査を行っている。第1回、第2回調査は、「ことばのたつじん」と「かんがえるたつじん」の完成版を作るための予備調査という位置づけである。第1回調査は広島県下の3つの小学校の約200人を対象に行った。広島県調査は2年生を対象にしたものだったが、「ことばのたつじん」「かんがえるたつじん」で測る能力が小学校の低学年から高学年にかけてどのように発達的に変化するのかを知りたかったので、福山市教育委員会に、別途、調査協力をお願いした。福山市は広島県の市なのだが、実務的な理由から広島県プロジェクトには参画していなかったので、広島県調査の一部としてではなく、別に行われている。福山市第1回調査は小学校5校・2～3年生・各学年約180人・計約360人が参加してくれた。第1版を使った広島県・福山市調査は、第1章で述べた基本理念にもとづいて試験的に作った問題で実施して、問題間の関係性を見るために、因子分析を行うと同時に、大問、小問ごとに、正答率を精査した。その結果を受けて、問題の修正や入れ替えを行い、2つのテストを練り上げていき、第2版が作成された。

　まず、福山市第2回調査で、2～4年生(各学年約150人)を対象に「ことばのたつじん」第2版の調査を行った(2019年11月)。この調査の結果、

若干ではあるが正答率が高すぎるあるいは低すぎる問題などをいくつか差し替えて微調整した第3版を広島県第2回調査で用いた(2020年1〜2月)。この調査は広島県下の町部と農村、山間部などを含むようサンプルした20の小学校を対象に大規模に実施し、参加児童数は約1000人であった。この調査では、「ことばのたつじん」「かんがえるたつじん」を実施した他、A社の学年末標準学力テストの国語と算数も実施して、2つのテストと標準学力テストの関係も検討した。また、参加した子どもの保護者に対して、養育に対する考え方や家庭環境などに関してアンケート調査も行った。

　広島県第2回調査の結果を受けて、主に「かんがえるたつじん」の改訂を行い、「かんがえるたつじん」第3版を作成した。第2版では「かんがえるたつじん②③」で正答率が低い問題がいくつかあったので、若干の調整をした。2020年10月に福山市第3回調査として、「かんがえるたつじん」を実施した。福山市第2回調査と同じ学校の同じ子どもたちが協力してくれたが、学年は1学年上がって3, 4, 5年生になっている。

　福山市の第3回調査では、「かんがえるたつじん」に加えて、「学力」の指標として、算数の文章題テスト8問を用意した。3, 4年生用の問題は、1問は1年生の、7問は3年生の算数の教科書の単元内容で、教科書に掲載されているのと同レベルの問題である。5年生用には、4問は3, 4年生用の同じ問題を使い、残りの4問は5年生の学習済みの単元から出題している。算数文章題テストの得点や誤答パターンとことば・思考の力の関係を見ていくために、本書では主に福山市第2回、第3回調査で用いた版の「ことばのたつじん」「かんがえるたつじん」を紹介している。

　福山市第2回、第3回調査の結果を踏まえて、「ことばのたつじん」「かんがえるたつじん」の(現段階での)最終版である第4版が準備された。第4版に向けて改訂する段階で問題数と所要時間の間でバランスをとることが必要になった。児童が途中で飽きずに、テストの最後まである程度集中力を持続して解答を記入してくれる状態になることを重視し、予備調査でテストにかかった時間や児童の様子を実施したクラスの先生に報告しても

らい、運用しやすいように問題数を減らした。小学校の「朝の時間」など
の課外活動の時間にも取り組んでもらえるように、「ことばのたつじんテ
スト①②③」は分冊にして、それぞれの分冊が20分程度で完了できる分
量にした。この第4版を用いて、2021年の2,3月に広島県第3回調査を
行った。以前と同様に2年生を対象に「ことばのたつじん」「かんがえる
たつじん」と、A社の標準学力テスト（国語・算数）を実施した。

「ことばのたつじん」「かんがえるたつじん」
の頒布の対象と入手方法

頒布の対象について

「ことばのたつじん」と「かんがえるたつじん」は官公庁、地方自治体および学校などの教育機関で使用していただくことを念頭に開発したアセスメントです。個人や、営利を目的とされている団体・組織は、頒布の対象とさせていただいておりません。学習に困難を抱えている子どもたちを支援するNPO法人は別途、ご相談ください。

入手方法について

2つの「たつじんテスト」は、株式会社 at study が頒布しています。株式会社 at study ではアセスメントの頒布の他、結果の読み取り、教育実践につなげるための支援も行います。下記よりあわせてお問い合わせください。

【問い合わせ先】
株式会社 at study：http://www.atstudy.co.jp/
メールアドレス：contact@atstudy.co.jp

氏名、学校名・機関名、所属、電話番号、メールアドレス、お問い合わせ内容を記入のうえ、お問い合わせください。

終わりのことば

　子どもたちの学力不振の原因がわかるようなテストを開発する。外国に
ルーツをもつ子どもたちの日本語の力がしっかりわかるテスト、それも、
表面的な意味の理解で正答できるようなテストではなく、言語を的確に理
解し、使うための「生きた知識」を外国ルーツの子どもたちがもっている
かがわかるテストを作りたい。このような目標で今井・中石が細々と始め
た語彙テストの開発が、このような形で結実するとは当初は思いもしなか
った。これまでに、たくさんの学校の大勢の子どもたちに予備調査に参加
していただいた。「たつじんテスト」開発メンバーは、子どもたちの解答
用紙のひとつひとつから、ほんとうに多くのことを学ばせてもらった。学
びの過程や困難の原因について様々なことを「たつじんテスト」の解答を
通して教えてくれた子どもたちにまずお礼を述べたい。そして、もちろん
調査に協力してくださったたくさんの学校の担任、校長、教頭先生たちに
も深謝したい。そしてこのプロジェクトを発足させ、2つの「たつじんテ
スト」が形になるまで伴走してくださった広島県教育委員会、福山市教育
委員会には、ことばにできないほどの謝意を表したい。

　2つの「たつじんテスト」は使っていただけるクオリティになり、テス
トを使った調査研究のデータも納得できる結果が得られた。しかし、開発
は終わったわけではなく、より便利に、よりわかりやすい形でことばの力、
思考力を教育現場が把握できるよう今後も改良を重ねていくつもりである。
タブレットで実施できるICT版の開発もしていきたいと考えている。
ICT化に際しては、視覚に障がいをもつ子どもたちにも簡便に使っても

らえるよう、問題や指示を読み上げ方式にしたり、文字を拡大できるようにするなどの工夫をしていきたい。また、外国児童に使ってもらえるよう、中国語、ポルトガル語、タガログ語などの多言語版も作っていきたい。ICT のメリットを活かし、担任の先生が自分のクラスの子どもの誤答のタイプがどのように分布しているのかがわかるような結果の提示のしかたなども工夫していきたい。

　本書のデータの入力やまとめ、統計分析に際しては、慶應義塾大学環境情報学部今井研究室のメンバーに多大な協力をしてもらった。また、本書の完成のために、丁寧な編集と適切なアドバイス、励ましをくださった岩波書店の濱門麻美子さん、彦田孝輔さんにもお礼を申し上げたい。

　子どもたちの学習の困難の原因を分析し、そしてその困難の根を取り除く手立てを考え、実践する「たつじん先生」たちのために、「たつじんテスト」が役立つことができたら、ほんとうにうれしい。

注

第 1 章

1) 川口俊明(2020). 『全国学力テストはなぜ失敗したのか——学力調査を科学する』岩波書店.
2) 文部科学省「平成 29・30・31 年改訂学習指導要領の趣旨・内容を分かりやすく紹介」
   https://www.mext.go.jp/a_menu/shotou/new-cs/1383986.htm
3) Brown, P. C., Roediger III, H. L. & McDaniel, M. A.(2014). *Make It Stick: The Science of Successful Learning*. Belknap Press of Harvard University Press. (邦訳)ピーター・ブラウン, ヘンリー・ローディガー, マーク・マクダニエル(2016). 『使える脳の鍛え方——成功する学習の科学』依田卓巳訳, NTT 出版.
4) Kuhn, D.(2005). *Education for Thinking*. Harvard University Press.
   今井むつみ(2016). 『学びとは何か——〈探究人〉になるために』岩波新書.
5) Sloman, S. & Fernbach, P.(2017). *The Knowledge Illusion: Why We Never Think Alone*. Riverhead Books. (邦訳)スティーブン・スローマン, フィリップ・ファーンバック(2018). 『知ってるつもり——無知の科学』土方奈美訳, 早川書房.
   Rozenblit, L. & Keil, F.(2002). The misunderstood limits of folk science: An illusion of explanatory depth. *Cognitive Science*, 26(5), 521–562.
6) 実行機能については膨大な文献があるが, 概念を大きくつかむならインターネットの解説がよいかもしれない. たとえば
   https://developingchild.harvard.edu/science/key-concepts/executive-function/
   実行機能の機能や発達を概観した論文としては
   森口佑介(2015). 「実行機能の初期発達, 脳内機構およびその支援」『心理学評論』, 58(1), pp. 77–88.
7) Ericsson, A. & Pool, R.(2016). *Peak: Secrets from the New Science of Expertise*. Houghton Mifflin Harcourt. (邦訳)アンダース・エリクソン, ロバート・プール(2016). 『超一流になるのは才能か努力か?』土方奈美訳, 文藝春秋.
8) 今井むつみ(2013). 『ことばの発達の謎を解く』ちくまプリマー新書.
9) 今井むつみ, 針生悦子(2014). 『言葉をおぼえるしくみ——母語から外国語まで』ちくま学芸文庫.
10) 「ストループ」というのはこのテストを考案した研究者の名前である.
    Stroop, J. R.(1935). Studies of interference in serial verbal reactions. *Journal of Experimental Psychology*, 18(6), 643–662.
11) 「サイモンが言ったよ」課題の論文:
    Strommen, E. A.(1973). Verbal self-regulation in a children's game: Impulsive errors on "Simon Says". *Child Development*, 44(4), 849–853.
    Borgmann, K. W., Risko, E. E., Stolz, J. A. & Besner, D.(2007). Simon says: Reliability and the role of working memory and attentional control in the simon task. *Psychonomic Bulletin & Review*, 14(2), 313–319.

昼／夜課題の論文：
Montgomery, D. E. & Koeltzow, T. E.(2010). A review of the day-night task: The Stroop paradigm and interference control in young children. *Developmental Review*, **30**(3), 308–330.

12) Siegler, R. S., Duncan, G. J., Davis-Kean, P. E., Duckworth, K., Claessens, A. et al. (2012). Early predictors of high school mathematics achievement. *Psychological Science*, **23**(7), 691–697.

13) Gentner, D., Imai, M. & Boroditsky, L.(2002). As time goes by: Evidence for two systems in processing space-time metaphors. *Language and Cognitive Processes*, **17**(5), 537–565.

14) Imai, M., Nakanishi, T., Miyashita, H., Kidachi, Y. & Ishizaki, S.(1999). The meanings of FRONT/BACK/LEFT/RIGHT. 『認知科学』, **6**(2), 207–225.

15) Siegler et al.(2012). 注 12 参照.
Schneider, M., Grabner, R. H. & Paetsch, J.(2009). Mental number line, number line estimation, and mathematical achievement: Their interrelations in Grades 5 and 6. *Journal of Educational Psychology*, **101**(2), 359–372.

16) Carey, S.(2009). *The Origin of Concepts*. Oxford University Press.
Alonso-Díaz, S., Piantadosi, S. T., Hayden, B. Y. & Cantlon, J. F.(2018). Intrinsic whole number bias in humans. *Journal of Experimental Psychology: Human Perception and Performance*, **44**(9), 1472–1481.
Jordan, N. C., Glutting, J. & Ramineni, C.(2010). The importance of number sense to mathematics achievement in first and third grades. *Learning and Individual Differences*, **20**(2), 82–88.
Ni, Y. & Zhou, Y.-D.(2005). Teaching and learning fraction and rational numbers: The origins and implications of whole number bias. *Educational Psychologist*, **40**(1), 27–52.

17) Siegler et al.(2012). 注 12 参照.

18) Siegler, R. S.(2016). Magnitude knowledge: The common core of numerical development. *Developmental Science*, **19**(3), 341–361.

19) Raven, J. C.(1936). *Mental Tests Used in Genetic Studies: The Performances of Related Individuals in Tests Mainly Educative and Mainly Reproductive*. M. Sc. Thesis, University of London.

20) Raven, J. & Raven, J.(eds.)(2008). *Uses and Abuses of Intelligence: Studies Advancing Spearman and Raven's Quest for Non-Arbitrary Metrics*. Royal Fireworks Press.
簡単な紹介としては https://www.123test.com/raven-s-progressive-matrices-test/ が便利. このテストが要求する情報処理の詳細な分析については
Carpenter, P. A., Just, M. A. & Shell, P.(1990). What one intelligence test measures: A theoretical account of the processing in the Raven Progressive Matrices Test. *Psychological Review*, **97**(3), 404–431.

21) McMullen, J., Hannula-Sormunen, M. M. & Lehtinen, E.(2014). Spontaneous focusing on quantitative relations in the development of children's fraction knowledge. *Cognition and Instruction*, **32**(2), 198–218.

22) たとえば
Goswami, U.(1992). *Analogical Reasoning in Children*. Erlbaum.

第2章

1) 新井紀子(2018).『AI vs. 教科書が読めない子どもたち』東洋経済新報社.

第3章

1) 中石ゆうこ，建石始(2016).「第12章　外国につながる子どもたちのための語彙シラバス」，森篤嗣編『ニーズを踏まえた語彙シラバス(現場に役立つ日本語教育研究2)』くろしお出版.
「外国につながる子どもたちのための語彙シラバス」のリストは，くろしお出版のサイト https://www.9640.jp/genba/ で一般公開されている.

2) 比較した語彙リストは以下の通り.
  1. 教科書コーパス語彙表(小学校全体)
  2. 教科書コーパス語彙表(小学校前半)
  3. バトラー後藤裕子(2011).『学習言語とは何か——教科学習に必要な言語能力』三省堂.
  4. 国際交流基金，日本国際教育支援協会著・編(2002).『日本語能力試験 出題基準(改訂版)』凡人社.
  5. 科研グループ「汎用的日本語学習辞書開発データベース構築とその基盤形成のための研究」(2015).「日本語教育語彙表」 https://jreadability.net/jev/
  6. 樋口万喜子，古屋恵子，頼田敦子編(2011).『進学を目指す人のための教科につなげる学習語彙6000語』ココ出版.
  7. 工藤真由美(1999).『児童生徒に対する日本語教育のための基本語彙調査』ひつじ書房.
1，2 は，特定領域研究「日本語コーパス」言語政策班(2011).『教科書コーパス語彙表』の語彙を，小学校全体(小学校全学年の教科書)と小学校前半(小学1年生から3年生の教科書)に分けて，別のリストとしたものである．たとえば，「整数」「等しい」などの語は，「1．教科書コーパス語彙表(小学校全体)」，つまり小学校全学年の教科書の語彙リストには出現するが，「2．教科書コーパス語彙表(小学校前半)」，つまり小学1年生から3年生の教科書の語彙リストには出現しないことから，高学年で学ばれる語であることがわかる.

3) 日本語読解学習支援システム「リーディング チュウ太」 https://chuta.cegloc.tsukuba.ac.jp/

4) 菅長陽一，松下達彦(2013).「日本語テキスト語彙・漢字分析器 J-LEX」 http://www17408ui.sakura.ne.jp/index.html

5) 中石ゆうこ(近刊).「きっかり10時」，金澤裕之，山内博之編『一語から始める小さな日本語学(仮)』ひつじ書房.

6) 脇中起余子(2013).『「9歳の壁」を越えるために——生活言語から学習言語への移行を考える』北大路書房.

7) 今井むつみ(2020).『親子で育てる ことば力と思考力』筑摩書房.

8) Nagy, W. E, Anderson, R. C. & Herman, P. A.(1987). Learning word meanings from context during normal reading. *American Educational Research Journal*, 24(2), 237-270.

9) Gentner, Imai & Boroditsky(2002). 第1章注13参照.

10) 西川朋美，青木由香(2018).『日本で生まれ育つ外国人の子どもの日本語力の盲点——簡単な和語動詞での隠れたつまずき』ひつじ書房.

第4章

1） Siegler(2016). 第1章注18参照.
Schneider, Grabner & Paetsch(2009). 第1章注15参照.
2） 「かんがえるたつじん②」では，例も含めて6問中5問は，下記の研究で使用された問題の一部を改変したものを使用している.
Harris, J., Newcombe, N. S. & Hirsh-Pasek, K.(2013). A new twist on studying the development of dynamic spatial transformations: Mental paper folding in young children. *Mind, Brain, and Education*, 7(1), 49–55.
3） Siegler et al.(2012). 第1章注12参照.
Siegler(2016). 第1章注18参照.
4） 岡部恒治，戸瀬信之，西村和雄編(1999). 『分数ができない大学生——21世紀の日本が危ない』東洋経済新報社.
5） Booth, J. L. & Siegler, R. S.(2008). Numerical magnitude representations influence arithmetic learning. *Child Development*, 79(4), 1016–1031.
Siegler(2016). 第1章注18参照.
6） 谷口隆(2021). 『子どもの算数，なんでそうなる？』岩波書店.
7） Ericsson & Pool(2016). 第1章注7参照.
Foer, J.(2011). *Moonwalking with Einstein: The Art and Science of Remembering Everything*. Penguin Press. (邦訳)ジョシュア・フォア(2011). 『ごく平凡な記憶力の私が1年で全米記憶力チャンピオンになれた理由』梶浦真美訳，エクスナレッジ.
8） Goswami(1992). 第1章注22参照.
Alexander, P. A.(2016). Relational reasoning in STEM domains: A foundation for academic development. *Educational Psychology Review*, 29(1), 1–10.

第5章

1） 吉田寿夫，村井潤一郎(2021). 「心理学的研究における重回帰分析の適用に関わる諸問題」『心理学研究』，92(3)，pp. 178–187.
その他
川端一光，荘島宏二郎(2014). 『心理学のための統計学入門』誠信書房.
も参照.
2） 標準偏回帰係数は，説明変数および目的変数をそれぞれ標準化した値から算出される偏回帰係数(それ以外の説明変数の値を固定した場合に，その説明変数が1増加すると目的変数がどれだけ増加／減少するかの指標. 標準偏回帰係数によって，説明変数同士の大小を比較でき，変数の重要度の指標とされる). 数値が大きいほど，その変数の算数文章題テスト得点への予測貢献度が大きい.
3） Hirsh-Pasek, K., Golinkoff, R. M. & Eyer, D.(2004). *Einstein Never Used Flash Cards: How Our Children Really Learn—and Why They Need to Play More and Memorize Less*. Rodale. (邦訳)キャシー・ハーシュ゠パセック，ロバータ・ミシュニック・ゴリンコフ，ダイアン・アイヤー(2006). 『子どもの「遊び」は魔法の授業』菅靖彦訳，アスペクト.
Suskind, D.(2015). *Thirty Million Words: Building a Child's Brain: Tune In, Talk More, Take Turns*. Dutton. (邦訳)ダナ・サスキンド(2018). 『3000万語の格差——赤ち

ゃんの脳をつくる，親と保育者の話しかけ』掛札逸美訳，明石書店.
4) 吉田・村井(2021). 注1参照.
Siegler, R. S. & Pyke, A. A.(2013). Developmental and individual differences in under-standing of fractions. *Developmental Psychology*, **49**(10), 1994–2004.
5) たとえば，Siegler & Pyke(2013). 注4参照.
6) Hawes, Z., Moss, J., Caswell, B. & Poliszczuk, D.(2015). Effects of mental rotation training on children's spatial and mathematics performance: A randomized controlled study. *Trends in Neuroscience and Education*, **4**(3), 60–68.
Karbach, J., Strobach, T. & Schubert, T.(2015). Adaptive working-memory training ben-efits reading, but not mathematics in middle childhood. *Child Neuropsychology*, **21**(3), 285–301.
7) 岸田一隆(2011). 『科学コミュニケーション――理科の〈考え方〉をひらく』平凡社新書.

第 6 章

1) この点については，今井むつみ『学びとは何か』(岩波新書)を参照してほしい.
2) Carey(2009). 第1章注16参照.
3) 今井(2020). 第3章注7参照.
4) Suskind(2015); Hirsh-Pasek, Golinkoff & Eyer(2004). 第5章注3参照.
Hirsh-Pasek, K. & Golinkoff, R. M.(2016). *Becoming Brilliant: What Science Tells us About Raising Successful Children.* American Psychological Association. (邦訳)キャシー・ハーシュ゠パセック，ロバータ・ミシュニック・ゴリンコフ(2017). 『科学が教える，子育て成功への道――強いココロと柔らかいアタマを持つ「超」一流の子を育てる』今井むつみ，市川力訳，扶桑社.
Heckman, J. J.(2013). *Giving Kids a Fair Chance.* MIT Press. (邦訳)ジェームズ・J. ヘックマン(2015). 『幼児教育の経済学』古草秀子訳，東洋経済新報社.

付録 1

1) お茶の水女子大学(2014). 「平成25年度全国学力・学習状況調査(きめ細かい調査)の結果を活用した学力に影響を与える要因分析に関する調査研究」
https://www.nier.go.jp/13chousakekkahoukoku/kannren_chousa/pdf/hogosha_factorial_experiment.pdf
2) Sylva, K., Melhuish, E., Sammons, P., Siraj-Blatchford, I. & Taggart, B.(2011). Pre-school quality and educational outcomes at age 11: Low quality has little benefit. *Journal of Early Childhood Research*, **9**(2), 109–124.
3) 文部科学省(2013). 「平成25年度全国学力・学習状況調査　保護者アンケート調査」
https://www.nier.go.jp/13chousa/pdf/hogosya-c_shou.pdf
文部科学省(2017). 「平成29年度全国学力・学習状況調査　保護者アンケート調査」
https://www.nier.go.jp/17chousa/pdf/17hogosya-c_shou.pdf
宮城県教育委員会(2016). 「平成28年度宮城県学力・学習状況調査結果(速報)について」
https://www.pref.miyagi.jp/documents/1195/368625.pdf
内田伸子，浜野隆，後藤憲子(2009). 「幼児のリテラシー習得に及ぼす社会文化的要因の影響―日韓中越蒙比較研究，2008年度調査の結果―グローバルCOE国際格差班報告」
Sylva et al.(2011). 注2参照.

4) CFI (Comparative Fit Index：比較適合指標) はデータへのモデルのあてはまりを示す指標で，一般的に .95 以上であればあてはまりがよいと判断させる．RMSEA (Root Mean Square Error of Approximation：近似の平均平方誤差平方根) はモデルの分布と真の分布との乖離を 1 自由度あたりの量として表現した指標で，一般的に .05 以下であればあてはまりがよく，.1 以上であればあてはまりが悪いと判断する．この分析の CFI, RMSEA の値から，このモデル適合度はとてもよいと判断される．

今井むつみ
慶應義塾大学環境情報学部教授

楠見 孝
京都大学大学院教育学研究科教授

杉村伸一郎
広島大学大学院人間社会科学研究科教授

中石ゆうこ
県立広島大学大学教育実践センター准教授

永田良太
広島大学大学院人間社会科学研究科教授

西川一二
大阪公立大学国際基幹教育機構高等教育研究開発センター
特任助教

渡部倫子
広島大学大学院人間社会科学研究科教授

算数文章題が解けない子どもたち
――ことば・思考の力と学力不振

2022 年 6 月 14 日　第 1 刷発行
2023 年 11 月 15 日　第 6 刷発行

著　者　今井むつみ　楠見 孝
　　　　杉村伸一郎　中石ゆうこ
　　　　永田良太　西川一二　渡部倫子

発行者　坂本政謙

発行所　株式会社 岩波書店
　　　　〒 101-8002 東京都千代田区一ツ橋 2-5-5
　　　　電話案内 03-5210-4000
　　　　https://www.iwanami.co.jp/

印刷・理想社　カバー・半七印刷　製本・松岳社